# O LADO SOMBRIO
## DOS CONTOS DE FADAS

KARIN HUECK

# O LADO SOMBRIO DOS CONTOS DE FADAS

A ORIGEM SANGRENTA DAS HISTÓRIAS INFANTIS

Rio de Janeiro, 2023

Copyright © 2023 por Karin Hueck

Todos os direitos desta publicação são reservados à Casa dos Livros Editora LTDA.

Nenhuma parte desta obra pode ser apropriada e estocada em sistema de banco de dados ou processo similar, em qualquer forma ou meio, seja eletrônico, de fotocópia, gravação etc., sem a permissão dos detentores do copyright.

Diretora editorial: Raquel Cozer
Coordenadora editorial: Diana Szylit
Editora: Vanessa Nagayoshi
Assistência editorial: Camila Gonçalves
Copidesque: Andréa Bruno
Revisão: Bonie Santos
Projeto gráfico de capa: Isabella Valhosa e Camila Rosado
Projeto gráfico de miolo e diagramação: Juliana Ida
Ilustrações: Isabella Valhosa

## DADOS INTERNACIONAIS DE CATALOGAÇÃO NA PUBLICAÇÃO (CIP) ANGÉLICA ILACQUA CRB-8/7057

H879L
    Hueck, Karin
       O lado sombrio dos contos de fadas: a origem sangrenta das histórias infantis / Karin Hueck. — Rio de Janeiro: HarperCollins, 2023.
       240 p. : il.

    Bibliografia
    ISBN 978-65-5511-490-4

       1. Contos de fadas - História e crítica 2. Literatura folclórica - História e crítica I. Título.

22-7147

CDD 398.2
CDU 398.21

Os pontos de vista desta obra são de responsabilidade de sua autora, não refletindo necessariamente a posição da HarperCollins Brasil, da HarperCollins Publishers ou de sua equipe editorial.

Rua da Quitanda, 86, sala 218 — Centro
Rio de Janeiro, RJ — CEP 20091-005
Tel.: (21) 3175-1030
www.harpercollins.com.br

*Para Fred, Benjamin e Violeta*

*"Olhamos para o mundo uma vez,
na infância. O resto é memória."*

Louise Glück

# Sumário

**PREFÁCIO** 11
**INTRODUÇÃO:** Por que olhar para o lado sombrio 17

**I. Cinderela, o incesto e os contos imortais** 23
O pai pecaminoso 30
Quem conta um conto... 35
O ovo e a galinha 37

**II. Chapeuzinho Vermelho e os lobisomens** 43
A Chapeuzinho ancestral 47
Humanos ou feras? 53
Sobre meninas e lobos 59
O lobo e o homem 61
Cortem a cabeça... do porco 64

**III. Os irmãos Grimm, a violência e os piores contos do mundo** 71
Grimm: tim-tim por tim-tim 79
Pequenos editores, grandes negócios 84
Quem tem medo do conto mau? 88
Princesa é a vovozinha 93

**IV. A Bela Adormecida, as sogras e as madrastas más** 99
O nascimento da madrasta 105
Quero matar meu irmão 110
A sogra, a ogra, a cobra 113

**V. A Bela e a Fera, os casamentos e os serial killers** 121
Mas que história é essa? 130

Socorro, eu me casei com um monstro  132
Entre quatro paredes  137

## VI. João, Maria e o canibalismo  143
Vida dura e faminta  149
O gosto dos outros  152
Antropofagia é coisa de europeu  154
Chá de múmia  157

## VII. Branca de Neve, as bruxas e a tortura  163
Caça às bruxas  169
É coisa do diabo  171
Tortura nunca mais  175
O triste fim de uma bruxa  179
Vilã ou vítima?  182

## VIII. O Flautista de Hamelin e um conto real  189
O sumiço  192
O rato roeu a história  197

## IX. A Pequena Sereia, Walt Disney e a miséria  201
Vindos de baixo  205
Contos de escassez  212

**EPÍLOGO:** Por que os contos de fadas nunca vão morrer  221

**AGRADECIMENTOS**  225
**NOTAS**  229
**BIBLIOGRAFIA**  233

# Prefácio

## POR CAMILA FREMDER

Quem conta um conto aumenta um ponto. Esse ditado não saiu da minha cabeça durante toda a leitura deste livro. Eu já sabia que os contos de fadas tinham evoluído e sofrido adaptações com o passar dos anos, como acontece com as fofocas (só que aí trocamos os anos por dias ou semanas). Mas o interessante foi entender melhor esse caminho.

Tanto com histórias quanto com fofocas, a gente faz isso o tempo todo, né? Tem sensação melhor do que contar uma coisa e ver a cara de espanto da outra pessoa? Diversas vezes me percebi aprimorando — vamos dizer assim — histórias que aconteceram comigo ao compartilhá-las repetidas vezes em rodas de amigos. Ora soam melhor, ora perco a mão e ficam rocambolescas demais. Mania de escritora, será? As palavras me acolhem.

Também pratico o ato de herdar histórias. Outro dia contei a meu filho, Arthur, que está na fase de alfabetização, que eu, quando criança, trocava a letra F pela letra V e que um dia passei a maior vergonha na escola ao ler um livro infantil sobre a história de uma vaca — eu só conseguia ler "faca". Até que, chorando, me fiz entender dizendo: "A faca, a faca que faz mu", e toda a sala riu de mim.

Contei esse caso ao lado de minha mãe, que logo me corrigiu. Na verdade, quem viveu essa história foi ela, mas, de tanto ouvi-la contar, a atribuí a mim. Tá vendo como é fácil?

Esse contar e recontar me encanta desde sempre. Sou do tipo que junta os amigos pra fazer troca de histórias: "Conta aquela que você ficou preso no banheiro do avião!". Faço a curadoria dos melhores causos e repasso entre turmas. Também amo me envolver mais do que o normal nas histórias alheias e fazer a detetive quando escuto um podcast sobre crime; me vejo desvendando o assassinato ou criando a minha própria versão dos fatos.

Neste livro, descobri todos os caminhos pelos quais passou grande parte dos contos que me amedrontavam na hora de dormir, ou serviam de tema para festas de aniversário, ou até estamparam meus lençóis ou toalhas de banho. Por anos e anos eu me deitei no lençol da Branca de Neve e me cobri com o da Bela Adormecida, minha duplinha favorita. Constato, neste exato momento, que talvez essas mesmas referências tenham influenciado a qualidade do meu sono — sempre fui conhecida na família como a criança mais medrosa para dormir sozinha. Deitar na princesa que foi envenenada por uma bruxa e me cobrir com a outra que, bem no meio da noite, tinha que sair fugida igual a uma doida para não ser desmascarada não poderia trazer muita tranquilidade, né?

Aliás, falando em falta de tranquilidade, posso dizer com propriedade que as meninas que cresceram não só ouvindo, mas também consumindo contos de fadas (no mínimo, todas as nascidas lá pelos anos 1980) sofreram, viu? O repassar de histórias deste livro veio carregado de paranoias de séculos passados. Cinderela, meu amor, a tristeza que eu sentia ao ver o meu pé tamanho 37 aos onze anos de idade, nada parecido com aquele seu pezinho minúsculo e delicado, era imensa. E quem disse que não comprei aquela sandália de plástico transparente que deixava o pé todo suado e ficava embaçada só para fazer as vezes de sapatinho de cristal? Outro ponto era o drama que eu fazia pra não cortarem o meu cabelo. Isso também era culpa sua, já que, na história, você não deixava claro quem era que cuidava daquela juba pra você. E tadinha da minha mãe, sofrendo pra desembaraçar tudo aquilo, passando condicionador rosa e usando um pente de dentes bem largos enquanto eu reclamava.

Meu Deus, me lembrei da Rapunzel! Pra falar a verdade, nos últimos anos, pensei nela várias vezes ao dia, sabia? Depois que me tornei mãe, percebi que partes do nosso corpo não são mais nossas e, muitas vezes, sofri com meu filho ainda bebê me escalando e usando meu cabelo como corda para tentar ficar em pé ou só para chamar a atenção. Bebês são fofos demais, mas é bom vê-los crescer. Talvez, durante a adolescência dele, por alguns instantes, eu sinta uma vontadezinha de prendê-lo no alto de uma torre, ainda mais depois de ter descoberto que na versão dos irmãos Grimm Rapunzel não tinha nada de inocente, mas isso fica entre nós, ok?

A Branca de Neve nem sabe, mas, por causa dela, por muito tempo eu achei que a mulher deveria esperar o parceiro pra ser finalmente salva. Mas assim... ser salva do quê mesmo? De trabalhar e me sustentar, que são coisas que eu amo fazer hoje em dia? Aliás, já mais velha comecei a pensar que a maçã envenenada tinha o efeito de Rivotril daquela época, porque a calma com que Branca de Neve dormia enquanto o príncipe chegava cavalgando lentamente não era nada parecida com o meu nível de angústia esperando um menino me ligar de volta.

E ah!, o amor à primeira vista, esse ridículo. Será que naquela época a gente não merecia uma história em que nos primeiros quinze minutos de leitura a princesa toma um baita fora, um *ghosting*? E chora, se descabela, come chocolate de pijama na cama? E tudo bem que depois de umas páginas ela encontre o amor da vida e tals, mas pelo menos a gente teria a noção de que às vezes dá errado, né? Poderiam até incluir, pra criar uma tensão a mais na história, uma vingança dela ao cara do *ghosting*. Olha que lição valiosa para os meninos da época! Olha que mulher forte e segura de si, que não deixa qualquer um fazê-la de boba.

E aquele lance da rainha má que perguntava para o espelho se existia mulher mais bonita do que ela naquele reino, vocês lembram? Na infância, aquilo me soava estranho, mas depois dos quarenta anos — e de ter lido este livro — eu meio que entendo: para alguém que vivia no meio de tanta pressão estética, e com uma expectativa de vida bem menor do que a de hoje em dia, envelhecer era mesmo o maior dos pesadelos. Eu sempre ficava feliz quando o espelho dizia que era a Branca de Neve a mais bonita, deixando a rainha pistola, mas atualmente eu prefiro combater o etarismo e a rivalidade feminina.

Chapeuzinho Vermelho foi o primeiro *true crime* que li na vida. Fiquei surpresa ao saber por esta leitura as tantas versões que existem da mesma história. "Por que essa boca tão grande?", uma simples dúvida que acende todos os tipos de sinais vermelhos. Eu ficava tão aflita que lia com um olho só, o outro eu mantinha fechado por segurança. Bom, no final, cortam a barriga do lobo e saem duas pessoas de dentro, e eu amo essa facilidade das histórias de salvar pessoas que claramente não tinham salvação. Mas a primeira versão do conto não dava esse mole, não. Achei mais cruel e realista? Sim. Mas, no fundo, é a minha preferida.

Sempre me fascinei com personagens como o Gato de Botas. É muito incrível quando você é criança e secretamente desconfia de que seu animal de estimação possa um dia conversar com você, ou de que passarinhos vão pousar no seu dedo do nada. Qualquer quebradinho no rodapé da parede trazia a esperança de que lá vivessem ratinhos ajudantes de casa, os companheiros de solidão das princesas sofridas. Seria mesmo fantástico. Dou risada pensando no susto que tomaria se o meu cachorro falasse, acho que cairia dura na hora e não teria príncipe de cavalo branco que me fizesse ressuscitar.

Esta leitura fez com que eu me desconectasse do tempo atual, revivesse sensações e por muitas vezes me sentisse criança, pronta para ser levada aonde quer que fosse em mais um "Era uma vez". Mas a criança que habita em mim se assustou ao descobrir as atrocidades que inspiraram as histórias que fizeram parte da minha infância. Meu gosto por *true crime* foi ativado e se fascinou com os babados de outros tempos, como a Chapeuzinho Vermelho que come a carne da própria avó a mando do lobo mau e a esposa de Barba Azul que encontra suas ex-esposas penduradas e mortas na parede.

Não vou negar: o passado parecia ser mais doce antes deste livro. Mas é importante enxergar a realidade do jeito que ela se apresenta. É necessário para questionar o mundo. As origens dos contos de fadas representam a sociedade de um tempo passado. Uma sociedade essencialmente misógina. O que me faz pensar: se eles tivessem sido criados no século XXI, será que seriam assim tão diferentes? O que falariam sobre o mundo em que vivemos? Como as mulheres seriam retratadas? Será que muita coisa mudou? Ou será que estamos repetindo o passado?

Por ora, o que posso dizer é que, apesar de algumas atitudes submissas durante a adolescência e talvez um pouco de exigência em relação a um padrão estético, no geral, eu nunca aceitei doces (ou maçãs) de estranhos nem desviei do caminho que minha mãe recomendou quando criança. Tô aqui vendo o lado bom das coisas; o lado ruim a gente desmistifica lendo este livro. É provável que eu tenha resolvido algumas questões internas, ao mesmo tempo que cultivei outras novas, mas isso faz parte da vida do leitor, não é mesmo?

**Camila Fremder é escritora, roteirista e podcaster**

## Introdução

### POR QUE OLHAR PARA O LADO SOMBRIO

Assim como quase todas as crianças que nasceram antes e depois de mim, cresci ouvindo contos de fadas. No Carnaval me fantasiava de princesa, tentava imitar as personagens dos filmes e sabia de cor cada reviravolta dos enredos. Conheci as histórias em livros herdados da família e nos desenhos animados de Walt Disney, narrados com cores vibrantes e trilha sonora contagiante. As duas versões me fascinavam. Ainda assim, percebia entre elas uma grande distância: por que, embora tivessem o mesmo título, contavam histórias tão diferentes? Por que a Pequena Sereia tem um final feliz no desenho e nos livros não? Onde foi parar a fada-madrinha da Cinderela na minha coletânea dos irmãos Grimm? Em quaisquer edições, as versões impressas pareciam sempre um pouco mais macabras, um pouco mais enigmáticas e muito mais interessantes que as dos telões. Em que momento as histórias foram mudadas? O que aconteceu no caminho?

Sem perceber, já na infância, queria ter lido este livro.

Não é preciso ser criança para se encantar com contos de fadas. Basta ouvir o "era uma vez" inicial para ser transportado para um mundo de magia, arrebatamento e finais "felizes para sempre". Engana-se quem acha que as historinhas são sobre fadas, bruxas, príncipes encantados ou meninas perdidas na floresta. Por trás dos enredos simples estão narrativas sobre vida e morte, alegria e tristeza, conquista e derrota — que falam diretamente com o mundo interior dos leitores. Quem lê as histórias acredita que metamorfoses sejam possíveis e que mesmo o mais desajustado dos protagonistas possa algum dia encontrar a redenção. Escondidas nos contos de fadas estão inquietações que todos nós já sentimos e soluções para problemas que parecem enormes.

Isso torna os contos de fadas universais. Lançadas e reeditadas até hoje em livros, seriados de TV e filmes hollywoodianos, essas histórias são alguns dos produtos culturais mais duradouros do Ocidente. Atire a primeira maçã envenenada quem nunca torceu pelos três porquinhos, não odiou as irmãs maldosas de Cinderela ou não se angustiou quando a Bela Adormecida espetou o dedo na roca. A não ser que você tenha sido criado em Marte, é provável que conheça cada detalhe desses enredos. Desde que começaram a ser compilados, há muitos e muitos séculos, os contos não perderam o fôlego — pelo contrário, as mesmas narrativas continuam arrebatando gerações de crianças e adultos e não dão sinal de que vão parar.

A fantasia é peça central nesse tipo de literatura. Sapos se transformam em príncipes, animais conversam com humanos, mesas se põem sozinhas e obstáculos intransponíveis se resolvem de um parágrafo para outro. Essa falta de verossimilhança não afasta o leitor, uma vez que o anonimato dos príncipes e princesas, que não têm personalidade definida e vivem em terras distantes sem localização exata, facilita a identificação com os personagens. Um mundo de fantasia exagerada abre espaço para que coisas desagradáveis que não seriam toleradas em outros tipos de história passem incólumes, como bruxas comedoras de criancinhas e anões cruéis que roubam bebês.

Boa parte do fascínio dos contos tem origem justamente nesse universo sombrio. Contos de fadas não constituem sempre histórias agradáveis, polvilhadas com açúcar, como a casa de pão de ló de João e Maria. Na verdade, as tramas são recheadas de malvadezas que sobreviveram às dezenas de adaptações. Podem passar despercebidas, mas estão lá. Ou é inofensiva a história de uma menina e sua avó que são devoradas vivas por um lobo? Ou é inocente o conto da menina que é sequestrada e obrigada a passar a juventude trancada no alto de uma torre? E o que dizer do bebê condenado à morte no dia do seu batizado?

Esses detalhes às vezes passam batidos na leitura, mas estão presentes em todos os contos e são tão essenciais para a narrativa quanto um patinho feio ou um punhado de feijões mágicos — talvez até mais. O interessante é ver que, por trás das histórias que conhecemos, havia um mundo ainda mais assustador. Nos seus primórdios, contos de fadas eram mais violentos, cruéis e indecentes do que imaginamos. A Bela Adormecida, por exemplo, é estuprada e abandonada pelo amado enquanto dorme; Cinderela é vítima de incesto; Chapeuzinho Vermelho prova um pedaço da carne da avó morta. E esses são apenas alguns exemplos.

Este livro conta essas histórias. Traz sem cortes as versões originais dos contos mais famosos. Porém, mais do que isso, pretende explicar de onde surgiram tramas tão cruéis e como acabaram infiltrando-se nas histórias que contamos até hoje para as crianças. Por trás de cada um dos contos originais estão séculos de mitologia e folclore que contribuíram para criar o mundo de fantasia que conhecemos, cujos componentes ainda tecem nossos sonhos.

Ao ler os contos originais, é importante ter em mente que nenhuma maldade é gratuita; pelo contrário, ela deriva de costumes e crenças que faziam todo o sentido nos séculos passados. As narrativas surgiram em épocas em que bruxas existiam de verdade e foram queimadas nas fogueiras aos milhares; em tempos em que pais abandonavam filhos no meio da floresta quando não tinham condições de alimentá-los; em sociedades em que belas mulheres de fato se casavam com feras assustadoras (em formato de homens, mas, ainda assim, assustadoras).

Muitas pessoas já especularam sobre quais seriam as histórias reais que inspiraram os contos de fadas: a localização geográfica dos castelos encantados, o nome e o sobrenome das princesas, as guerras e batalhas relacionadas a determinada narrativa. Uma tarefa como essa é muito menos interessante — ou nem sequer é possível de ser realizada — que a de descobrir como era o mundo nos tempos em que as narrativas foram anotadas.

Em vez de procurar a princesa de pele branca como a neve (que nunca existiu), é mais revelador descobrir qual era o imaginário que inspirou sua história. Maçãs envenenadas, sapatinhos de cristal, tesouros escondidos, pessoas que comiam crianças: para todos esses elementos, há inspirações fincadas na realidade. Juristas discutiam de que modo homens se transformavam em lobos e como costumavam atacar crianças na floresta; médicos receitavam cadáveres humanos para curar todo tipo de doença; religiosos argumentavam sobre os feitiços mais populares das bruxas. Houve épocas em que o mundo real era mais parecido com o mundo fantasioso dos contos de fadas. Por isso, os detalhes das narrativas são importantes — eles não podem ser vistos como fatos, mas como representantes de um pensamento e de uma forma de enxergar a realidade. São peças arqueológicas que explicam um tempo que já passou.

Assim, podemos dizer que este é um livro de história. Diversas outras obras já analisaram as narrativas com base em teorias psicológicas e psicanalíticas. Esta se detém na história: do folclore, das lendas, das mitologias, mas também dos costumes e das ideias, para explicar a persistência das narrativas, e acredito que ambas as interpretações cheguem a conclusões complementares.

Definir o que são contos de fadas é uma tarefa mais difícil do que parece. Geralmente, são histórias que narram as aventuras de um protagonista de bom coração em meio a um mundo mágico rumo a um final feliz. Ainda assim, há tantas exceções à regra — príncipes cruéis, ausência de magia, finais desoladores — que quase nenhuma definição para em pé. Para mim, vale a mesma regra do que faz uma música-chiclete: você pode não saber definir o que a torna tão contagiante, mas vai saber reconhecer quando ouvir uma. Da mesma forma, dá para saber que você está começando a ler um conto de fadas já nas primeiras palavras.

Para este livro, resolvi analisar as histórias mais conhecidas. O critério foi mais afetivo que racional. Usei como base de escolha minhas memórias de infância e os contos que apareceram com mais frequência na minha fantasia infantil, mas também os produtos de entretenimento mais populares. Não coincidentemente, isso resultou em muitos contos animados por Walt Disney, como *Cinderela* e *A Bela Adormecida*, além de outros tantos igualmente populares, mas que não estouraram nas telonas, como *Chapeuzinho Vermelho* e *O Gato de Botas*.

Acabei debruçando-me mais profundamente sobre as histórias dos irmãos alemães Jacob e Wilhelm Grimm, do francês Charles Perrault e do dinamarquês Hans Christian Andersen. Alguns contos dos italianos Giambattista Basile e Gianfrancesco Straparola também contribuíram para a lista, assim como das francesas Jeanne-Marie de Beaumont e Madame d'Aulnoy. Ainda assim, procurar as histórias primordiais é como tentar guardar na mão um pedaço do mar: uma tarefa impossível. Os enredos acabam sempre voltando para suas origens mais remotas, e o resultado é que narrativas medievais, clássicas, orientais, indianas e tradicionais de povos distantes de nós acabaram fazendo uma ponta nestas páginas. Todas são essenciais para explicar os contos mais conhecidos do mundo.

O que não ficou de fora foram as versões originais das histórias — estão aqui sem o embelezamento que autores como Wilhelm Grimm e Walt Disney fizeram depois. Por mais desconfortáveis que possam parecer, não há nada de errado nessas variantes. Mulheres e homens do passado gostavam tanto dessas narrativas de destruição, terror e incertezas que não deixaram que elas morressem — e tiveram o cuidado de transportá-las de boca em boca até os nossos dias. Conhecer o lado um pouco mais sangrento das histórias é jogar luz sobre as nossas origens. Olhar para o nosso passado amedrontador permite também que sonhemos com um futuro melhor. No fim das contas, é o lado sombrio dos contos de fadas que explica o seu fascínio.

# Capítulo I

## CINDERELA, O INCESTO E OS CONTOS IMORTAIS

"Feéria [contos de fadas] contém muitas coisas além de elfos e fadas e além de anões, bruxas, trols, gigantes ou dragões. Ela abriga os mares, o sol, a lua, o céu, a terra e todas as coisas que estão nela: árvores e pássaros, água e pedra, vinho e pão e nós mesmos, homens mortais, quando estamos encantados."

J.R.R. Tolkien, *Árvore e folha*, 1964

Era uma vez, na China, um homem que morava em uma caverna e que se casou com duas mulheres. Com cada uma, ele teve uma filha. Um dia, uma das esposas morreu. A pequena órfã, Ye Xian, passou a ser criada pela madrasta, a outra esposa do homem, uma mulher invejosa e má, que a odiava por ser mais bela e mais prendada que sua própria filha. Ye Xian começou a ser tratada como uma empregada e a ela sempre cabiam as piores tarefas do lar. Seu único amigo era um grande peixe-dourado que vivia no lago perto da casa. Certo dia, a madrasta descobriu a existência do peixe e resolveu assá-lo e comê-lo para garantir que a vida de Ye Xian não conhecesse alegrias. Inconsolável, Ye Xian pegou os ossinhos do amigo, que estavam enterrados debaixo de um monte de esterco, e os guardou — um feiticeiro a avisara de que eles seriam mágicos e poderiam atender a pedidos.

Chegou então o dia do Festival da Primavera, uma festa à qual iriam todas as moças e rapazes da região. Ye Xian ficou animada. Mas a madrasta a proibiu de ir, com medo de que todos se apaixonassem por ela e de que ninguém olhasse para sua filha. Desolada, a menina foi pedir ajuda aos ossinhos do amigo. Como num passe de mágica, os restos mortais do peixe cobriram-na com um maravilhoso vestido azul e um glamoroso manto de penas. Os minúsculos pezinhos de Ye Xian receberam os sapatos mais lindos que ela já havia visto, feitos de ouro.

No festival, todos os convidados só tinham olhos para ela — até mesmo a madrasta e a irmãzinha, que foram correndo conferir quem era o novo arraso do baile. Com medo de ser descoberta, Ye Xian saiu em disparada e, na confusão, deixou cair um dos sapatos. O gracioso sapato acabou chegando às mãos de um guerreiro valoroso, que se encantou pelo seu tamanhinho e resolveu sair em busca de sua dona. Logo, descobriu que o sapatinho pertencia a Ye Xian. O guerreiro foi procurá-la, mas, ao encontrá-la, ficou um tanto assustado com as roupas de empregada que a menina vestia. Felizmente, o rapaz logo percebeu que se tratava da moça mais bonita do condado. Eles se casaram, e ela levou os ossinhos do peixe para o novo lar. A madrasta e a irmã acabaram soterradas por uma avalanche de pedras que caiu sobre a caverna onde moravam. Fim.

Essa é a história de Ye Xian, um conto anotado na China por volta de 850 d.C. com base na narração de uma criada. Você deve ter reconhecido o enredo: com pouquíssimas variações, trata-se da história de Cinderela, numa versão milenar. *Cinderela* é provavelmente uma das narrativas mais universais que existem. Há dezenas de versões espalhadas pelo mundo, e quase todas contêm as características que conhecemos tão bem: uma mocinha maltratada, uma madrasta demoníaca, as irmãs malvadas, uma ajuda sobrenatural para que ela fique linda e se encontre com um pretendente nobre. Talvez *Cinderela* seja o conto mais estudado por folcloristas e historiadores. Sua trama é rapidamente reconhecida em toda parte e as metáforas são fáceis de entender. Cinderela, a humilde empregada que vira realeza, é a princesa de contos de fadas que mais se encaixa na descrição do cargo, e seu desfecho tem o final feliz que todo mundo associa aos contos.

Não é difícil entender por que a história da menina atormentada que consegue dar a volta por cima, casar-se com um príncipe encantado e se vingar de quem a maltratou é universal. O apelo é inegável. *Cinderela* é a história-padrão de superação. É o relato com o qual todos os oprimidos se identificam, com a esperança de que um dia sua grande reviravolta também chegue. Para melhorar, ela contém um elemento de metamorfose: a menina maltrapilha ganha um banho de loja e vira princesa — dezenas de reality shows e programas de auditório, de Luciano Huck a Netinho de Paula, bebem da mesma fonte até hoje na hora de presentear os participantes com uma transformação incrível. A culpa pelo sucesso de *Cinderela* é nossa: gostamos demais de torcer pelos mais fracos.

As versões folclóricas espalhadas pelos cinco continentes variam de acordo com o cheiro e o tempero de cada local, e é curioso ver o que cada cultura fez com a heroína. Em *A Gata Borralheira*, na variante anotada pelos irmãos Grimm no começo do século XIX, a menina recebe a ajuda de passarinhos e pombas mágicas para terminar o trabalho doméstico e é a falecida mãe, enterrada debaixo de uma árvore encantada, que providencia as roupas para ela ir ao baile. Já *Cinderela* do francês Charles Perrault é a versão que inspiraria Walt Disney e que contém os detalhes mais célebres: os sapatinhos de cristal, a abóbora que se transforma em carruagem, os ratinhos que viram cavalos. Já na versão sérvia, a mãe da menina não morre: vira uma vaca que faz as vezes de fada-madrinha, protege-a dos maus-tratos da madrasta e a arruma para que vá à missa bonita e penteada. Na versão filipina, um caranguejo mágico ajuda a menina, Maria, a se vestir para o baile, para onde vai de chinelinho dourado em vez de sapato de cristal. Na variante turca, Cinderela é homem — e não é a única: na Alemanha, diversas anotações da história registravam protagonistas masculinos até o século XVIII. Já na versão brasileira, em *Cinderela pop*, protagonizada pela estrela mirim Maísa, a heroína é uma DJ que se apaixona por um cantor *teen*, deixa para trás um All Star colorido numa festa de debutante e precisa enfrentar a inveja das filhas de uma madrasta maldosa. Sim, todo mundo tem a sua Cinderela.

Diferentes épocas e lugares moldam à sua maneira uma narrativa clássica. A história chinesa provavelmente introduziu no enredo o elemento do sapatinho perdido e a correspondente dona de pés pequenos. Isso se deve a um motivo cultural: no século VI, a dinastia Tang definiu que uma mulher chinesa valorosa e nobre precisaria ter os menores pés possíveis e inventou a prática de amarrá-los. O negócio era violento. Por volta dos três anos, os dedos dos pés das menininhas eram quebrados e amarrados com faixas apertadas para que jamais crescessem — um pé ideal não deveria ter mais de oito centímetros de comprimento —, o que deixava as moças impossibilitadas de se locomover normalmente pelo resto da vida. O costume sobreviveu até o século XX e em quase todas as versões de *Cinderela* também: na edição dos irmãos Grimm, as irmãs malvadas mutilam os próprios pés — uma corta os dedos e a outra, o calcanhar — para o sapatinho encaixar em suas não tão delicadas extremidades.

Esses detalhes que variam de cultura para cultura são um dos temas favoritos dos especialistas em folclore. Usadas como pistas para um mundo distante, as particularidades dos enredos refletem o ambiente do qual foram extraídos. Funcionava mais ou menos assim: os contadores de história ouviam as narrativas, memorizavam o enredo e, na hora de recontá-las, acabavam mudando um detalhe ou outro. Iam, aos poucos, introduzindo elementos de seu cotidiano e da paisagem ao redor para os ouvintes se identificarem com as personagens com mais facilidade. "A fábula, qualquer que seja sua origem, está sujeita a absorver alguma coisa do lugar onde é narrada — uma paisagem, um costume, uma moral, ou então apenas um vago sotaque ou sabor daquela região",[1] definiu o escritor italiano Italo Calvino, ávido colecionador de contos, em seu livro *Fábulas italianas*.

Isso fica explícito nos detalhes que poderiam passar despercebidos. Perrault, por exemplo, introduziu elementos em suas narrativas que denunciam seu ponto de vista, o de frequentador da corte do rei Luís XIV. Sua Chapeuzinho Vermelho, usa na cabeça o enfeite que as mulheres do tempo dele ostentavam, o *chaperon*: um pequeno e volumoso chapéu, geralmente feito de tecido fino, como cetim. É esse apetrecho que dá nome à versão francesa da historieta, *Le Chaperon Rouge*. Isso acontece também com a Cinderela e sua carruagem feita de abóbora. No final do século XVII, o rei Luís XIV circulava por Paris em uma carruagem arredondada, e daí veio a referência à abóbora. Se Perrault fosse membro das classes inferiores ou tivesse nascido em outro país, a sua Cinderela — e a que nós conhecemos — seria completamente diferente.

A influência cultural fica ainda mais evidente no conto *O camundongo, o passarinho e a linguiça*, registrado pelos irmãos Grimm, no qual o protagonista é uma linguiça que conversa e cuida das tarefas do lar. Adivinhe de onde surgiu essa história? Se você pensou na Alemanha e na predileção local por embutidos, já está pensando como folclorista e enxergando as pistas históricas que os contos de fadas podem trazer. A lógica é a da apropriação: para que a narrativa não ficasse com cara estrangeira, os contadores adaptavam os detalhes para os hábitos locais.

O antropólogo estadunidense Frank Hamilton Cushing notou esse comportamento ao vivo. No final do século XIX, ele passou um tempo vivendo entre os zunis, um povo indígena norte-americano, e contou a um deles uma fábula italiana. Um ano depois, de volta ao povoado, ele ouviu outro membro dos zunis recontando a história: o enredo continuava o mesmo, mas as referências e a linguagem haviam mudado e conversavam com o mundo indígena. A fábula europeia havia se transformado em conto zuni. Por isso é impossível falar sobre uma origem específica dos contos de fadas. Quem inventou a Cinderela se, no fundo, todos a inventaram? Traçar as raízes históricas dos contos é uma tarefa mais difícil do que tentar definir o que veio antes: o ovo ou a galinha. (Mais difícil porque, para a questão galinácea, já se sabe a resposta: o ovo. Animais se reproduzem por meio de ovos desde quando peixes habitavam os oceanos dos primórdios do mundo e dinossauros passeavam pela Pangeia: muito antes de qualquer ave pisar no planeta.) Os mesmos temas e histórias circulam nas mais diversas culturas há centenas de anos. Talvez se possa dizer que desde que existe linguagem as pessoas se contam as mesmas narrativas de morte, aventura, luta, magia e renascimento que nós nos contamos hoje em dia. Foram as mesmas inquietações humanas e universais que geraram contos parecidos que se espalharam pelo mundo. No meio de tantos relatos repetidos, os contos de fadas são apenas as versões mais conhecidas de histórias pagãs, bíblicas e medievais que caíram na boca do povo.

A maior parte dos contos folclóricos é tão previsível que é possível classificá-los de acordo com seu "parentesco". Para isso, existe uma imensa tabela periódica do folclore, na qual se pode encaixar qualquer uma das nossas histórias favoritas, de *Branca de Neve* a *Pequeno Polegar*, de *Cinderela* a *Rei sapo*. Quem primeiro fez isso foi um folclorista finlandês chamado Antti Aarne, que em 1910 publicou seu livro *The Types of the Folktale: A Classification and Bibliography* [[Os tipos de conto folclórico: uma classificação e bibliografia]], no qual agrupou as mais conhecidas histórias folclóricas da Escandinávia de acordo com suas similaridades.

Os contos escandinavos, porém, não davam conta de classificar o folclore mundial. Assim, o estadunidense Stith Thompson resolveu ampliar a lista e a concluiu em 1961, catalogando os principais temas que aparecem nas contações de histórias europeias. Hoje, a tabela é conhecida como Sistema de Classificação Aarne-Thompson. Ele funciona como uma grande taxonomia de fábulas que confere um "nome científico" para cada uma delas. Primeiro, analisa o que elas têm em comum — uma heroína bonita, um animal falante, uma moral parecida — para depois inventar um título para cada uma delas. Assim, há grandes classificações, como "contos de animais", "contos populares", "contos religiosos", "anedotas", e depois, dentro de cada uma delas, categorias menores. Cinderela, por exemplo, está classificada como "conto popular" (e não "conto religioso"). Seu número é 510A, dentro da categoria "história da heroína perseguida". Já *O rei sapo* tem o número 440 e se insere no tema "cônjuges sobrenaturais", porque há uma série de narrativas que giram em torno de casamentos com animais, como veremos em outro capítulo.

Essa lista ajuda os estudiosos a descobrir se o conto que acabaram de coletar já foi registrado ou se tem familiaridade com outra história conhecida. Para isso basta comparar a narrativa nova com as outras que se encontram na mesma classificação. A tabela também facilita encontrar versões antigas do mesmo conto. Assim, a velha tragédia grega pode estar lado a lado com o novo filme de sucesso da Disney.

## O PAI PECAMINOSO

No Sistema de Classificação Aarne-Thompson, *Cinderela* é uma das histórias mais populares por causa da quantidade de enredos semelhantes coletados ao redor do mundo. Além das diversas variações exóticas, a história da princesa que dorme nas cinzas (daí seu nome: "Cinderela" vem de "cinzas") tem uma narrativa irmã, muito menos conhecida, mas que é mais antiga e escabrosa. É a que conhecemos em português como *Pele de Asno* (na coletânea de Perrault) ou *Mil peles* (na dos irmãos Grimm).

Na essência, as duas narrativas são parecidas. Ambas contam as desventuras de uma moça obrigada a fazer os trabalhos mais árduos e degradantes do lar. Depois de um banho de roupa nova, ela conquista o coração de um príncipe e supera a condição de vira-lata. As duas heroínas são especialmente abnegadas e pacientes; encaram qualquer dificuldade com resignação, com uma humildade digna de santas. Por isso, ambas são classificadas lado a lado na grande tabela periódica dos contos populares de Aarne-Thompson. *Cinderela*, a "heroína perseguida", está no 510A, e *Pele de Asno*, o "amor desnaturado", no 510B.

Mas o que quer dizer "amor desnaturado"?

A palavra vem de "antinatural", ou seja, indica que a história gira em torno de um amor que não segue as regras da natureza. De fato, chamar de "desnaturada" a história de *Pele de Asno* não é exagero. Na versão mais pesada de *Cinderela*, a heroína, antes de se tornar empregada e fazer as tarefas do lar, já é uma princesa. Ela precisa fugir do reino onde nasceu porque o pai quer a todo custo se casar com ela. Sim, *Pele de Asno* é uma história de incesto. Um amor antinatural.

Mas vamos ao enredo. Quase todas as variações desse conto são parecidas. Começam narrando a existência de um rei bondoso e justo, que é casado com uma mulher igualmente bondosa e justa. A rainha adoece e fica à beira do último suspiro. Antes de morrer, no entanto, faz uma exigência ao marido: que ele não se case com ninguém que não seja tão bela quanto ela mesma. E desfalece. Pouco tempo depois, o rei começa a procurar uma nova esposa, mas não encontra nenhuma pretendente à altura da falecida. A única pessoa que satisfazia a condição da esposa era a própria filha.

Certo dia, o rei olha para a menina com olhos pecaminosos, é tomado por uma paixão avassaladora, não consegue parar de pensar nela e decide pelo ato desnaturado: pede-a em casamento. A menina fica horrorizada e começa a fazer exigências malucas com a esperança de que o pai não as possa atender: um vestido feito de Sol, um casaco feito com a pele do jumento favorito do rei, e assim por diante. Mas o pai cumpre cada um dos pedidos. À princesa, então, só resta fugir, e ela o faz vestida com um casaco de peles horroroso, feito do tal jumento ou do pelo de dezenas de animais.

É aqui que inicia a parte *Cinderela* da narrativa. A menina vai parar em outro reino e começa a trabalhar na casa de uma pessoa que lhe dá acolhida. Tal qual Cinderela, ela vive suja de cinzas ou embrulhada na — daí o título do conto — pele de asno. Até o dia em que outro rei, de passagem pelo lugarejo, avista a menina em um dos raros momentos em que ela não está despenteada e maltrapilha, mas vestida com as antigas roupas de realeza. Ele se apaixona perdidamente por ela e, depois de uma série de testes (alguns parecidos com o do sapatinho de cristal), os dois se casam. Mais uma vez, trata-se de uma história de superação: a volta por cima da oprimida que se casa com um príncipe.

*Cinderela* e essa história indecorosa do pai que tenta transar com a própria filha estão classificadas lado a lado porque têm a mesma raiz folclórica. Foi o que provou a estudiosa Marian Cox, uma colecionadora de Cinderelas que, ainda no século XIX, coletou 345 variações da narrativa em livros e manuscritos antigos. Dentre os vilões, 130 eram madrastas más que maltratavam a mocinha e 77 eram pais obscenos que faziam a heroína fugir e virar a empregada de um lar. Para os estudiosos, não há dúvida de que *Cinderela* e *Pele de Asno* têm a mesma origem histórica e, na essência, as mesmas protagonistas.

Pode parecer estranho uma narrativa baseada em incesto ter sobrevivido aos séculos e chegar aos nossos tempos como um inofensivo conto de fadas. E mais estranho ainda é o fato de ninguém ter pensado em cortar esse detalhe chocante das coleções infantis. De fato, entre todas as alterações que os irmãos Grimm fizeram na coletânea deles ao longo dos anos (que foram muitas e deixaram marcas para sempre, como veremos no capítulo 3), cortar a cena do pai que queria levar a filha para a cama não foi uma delas. Por que eles não amenizaram a história? Por que não inventaram qualquer outro motivo que fizesse a filha fugir de casa?

O pretexto é antigo, tem 1.800 anos.

É ao século III que remontam as origens mais remotas de *Cinderela*. No caso, dentro da obra *Apolônio de Tiro*. Esse livro foi um grande sucesso na Europa medieval e teve origem na Antiguidade clássica (deve ter havido uma versão grega, mas foi a latina que ganhou o mundo). A história começa com uma cena na qual Apolônio, um jovem pretendente à mão de uma princesa, descobre que o rei Antíoco tinha um caso com a própria filha. O incesto vira um escândalo na corte, e o herói, para não ser morto, precisa fugir e sair pelo mundo.

A história se tornou muito conhecida a partir do século VI e chegou ao auge do sucesso na Idade Média. Calcula-se a popularidade dos textos antigos com base no número de cópias que sobreviveram até nossos dias. De *Apolônio de Tiro*, mais de 120 cópias em latim datadas da Idade Média chegaram aos nossos tempos, o que dá à narrativa praticamente o status de *A guerra dos tronos* de sua época. Aqui é bom avisar que o conteúdo inclui um estupro de uma adolescente — o que daria origem a *Pele de Asno*.

> Ele [o rei] brigou com a loucura, lutou contra a paixão, mas acabou derrotado pelo amor; esqueceu seu senso de responsabilidade moral, esqueceu que era pai e assumiu o papel de marido. Como ele não conseguia mais suportar a ferida do coração, certo dia, quando estava acordado à alvorada, correu para o quarto da filha e pediu aos guardas que se retirassem, como se quisesse ter uma conversa particular com ela. Incentivado pelo delírio do desejo, tomou a virgindade da filha à força, apesar da longa resistência. Ao fim do perverso ato, ele deixou o quarto. Mas a menina ficou atordoada com a imoralidade do pai maligno. Ela tentou esconder o fluxo do sangue, mas gotas acabaram caindo no chão.[2]

Historiadores acreditam que *Pele de Asno* tenha surgido a partir de adaptações de *Apolônio*, às quais se acrescentaram elementos encantados e mágicos, deixando-o com cara de conto de fadas. Pode ser estranho uma trama sobre incesto e estupro ter feito tanto sucesso, mas não é incomum.

Desde os primórdios, mitos e religiões contam narrativas que têm algum tipo de indecência entre familiares: o todo-poderoso deus grego Zeus se casa com a irmã Hera; Édipo se deita com a mãe, dando nome ao complexo mais famoso da psicologia; os deuses irmãos egípcios Osíris e Seth se unem com as irmãs Ísis e Néftis. Até mesmo a Bíblia conta o caso escandaloso das filhas de Ló, que seduzem o pai para garantir a procriação da espécie humana na Terra. "Vem, demos de beber vinho a nosso pai, e deitemo-nos com ele, para que em vida conservemos a descendência de nosso pai. E deram de beber vinho a seu pai naquela noite; e veio a primogênita e deitou-se com seu pai", diz o Livro Sagrado (Gênesis, 19,33).

*Apolônio* não é a única escritura antiga que tem o mesmo tema de *Pele de Asno*. Entre os personagens dos escritos católicos há uma santa que leva uma vida muito parecida com a da heroína do conto de fadas: Santa Dinfna. Assim como na historinha, ela fugiu de sua terra natal, no caso, o Reino Unido, aos catorze anos, porque seu pai insistia em se casar com ela. Na sua fuga, Dinfna atravessou o Canal da Mancha e chegou à Bélgica. Mas o pai a encontrou e tentou novamente desposá-la. Ela se negou, ultrajada. Depois de uma longa sessão de tortura, o pai, diante da resistência da filha, desembainhou a espada e a decapitou. Dinfna se tornou mártir da Igreja católica e a santa protetora dos doentes mentais e dos refugiados.

A história de Dinfna fazia parte de outro tipo de literatura best-seller na Idade Média e nos séculos seguintes: a hagiografia, a biografia de santos, uma compilação de aventuras, façanhas, milagres, perseguições e torturas que transformavam pessoas comuns em santos. Assim como sucedeu com as narrativas clássicas e os mitos do Oriente, os contos de fadas também têm traços comuns com os escritos hagiográficos. Uma das obras mais conhecidas desse tipo de literatura era a *Legenda áurea*, um calhamaço de sete volumes cheio de passagens milagrosas que se tornou o livro mais publicado entre 1470 e 1530. Duzentos e sessenta exemplares dessa obra chegaram até os nossos dias.

Santa Dinfna é protagonista de apenas uma das várias histórias escritas no século XIII sobre mocinhas injustiçadas, e acredita-se que a vida da santa tenha sido inspirada em narrativas como *Apolônio*. Sim, *Pele de Asno* e *Cinderela* são um caso de conto de fadas que influenciou a religião: a história da moça que foge do pai incestuoso já existia antes da Igreja católica como a conhecemos.

No fundo, mitos, religiões, folclore e literatura são feitos do mesmo material e bebem das mesmas fontes. Não é difícil entender o motivo. Ele está dentro de nós.

## QUEM CONTA UM CONTO...

Fazia um dia quente e úmido nas savanas descampadas da Pré-História. Tão quente e úmido que grandes nuvens pretas se formavam no horizonte. Um pequeno grupo de hominídeos (um antepassado nosso) olhava assustado para a tempestade iminente quando resolveu correr para debaixo de uma imensa árvore a fim de se esconder da chuva. As nuvens se aproximaram, trazendo consigo um temporal violento — era tanto vento e água que tudo ficou encharcado. Relâmpagos começaram a cortar o céu. Um raio na montanha lá ao longe, outro no matagal ao lado. E o seguinte caiu bem em cima da árvore sob a qual os hominídeos se escondiam. Minutos depois, a tempestade passou, o céu clareou e se abriu um lindo dia ensolarado. A árvore ainda chamuscava quando os homens se afastaram e observaram com cuidado o estrago causado pelo temporal. Agradeceram por estarem vivos. Mas a sequência tempestade/raio na cabeça/sol os deixou intrigados.

Nunca ninguém vai saber, mas pode ter sido assim que deus foi criado. Não o nosso Deus, claro, mas o deus mais antigo de que se tem notícia. A primeira noção de que algo maior do que nós controla o Universo e interfere na nossa vida. Um raio que caiu sobre a cabeça dos nossos antepassados pode ter sido o sinal de uma inteligência superior para aqueles que o presenciaram. Alguma força maior que pudesse nos castigar e recompensar aqui embaixo. Foi em algum momento entre 100 mil e 200 mil anos atrás que um antigo hominídeo teve o primeiro vislumbre de pensamento mágico.

Pensamento mágico é a mania do ser humano de criar causa e consequência entre dois acontecimentos que não têm relação visível ou racional. Uma mulher briga com alguém e logo em seguida adoece: olho gordo. Um homem bate no filho e a caça do dia seguinte é ruim: castigo divino. Um objeto que pertencia a uma mulher bondosa é dado aos doentes e eles se curam: milagre. Da mesma forma, o raio que caiu em cima da árvore sob a qual os nossos antepassados se abrigavam podia ser um sinal de uma força superior raivosa.

Arqueólogos costumam atribuir o nascimento do pensamento mágico ao momento em que nossos antepassados começaram a enterrar os mortos. Nenhum outro animal faz isso. Se nossos tataravós resolveram cuidar dos defuntos é porque deviam acreditar que eles estavam indo para algum lugar. Esse "algum lugar" marcou o surgimento das primeiras religiões. Foi essa lógica que deu origem aos mitos, às lendas e ao folclore.

Até onde sabemos, aquela inquietação que sentimos e que nos leva a buscar sentido nas coisas — quem somos, de onde viemos, para onde vamos — é exclusividade do ser humano. Nenhum peixinho-dourado fica olhando para a imensidão do mar e se pergunta de onde tudo aquilo surgiu; nenhuma gazela procura sentido em sua existência no meio das estepes da África; nenhum pica-pau questiona sua consciência. (Ou pelo menos é nisso que acreditamos. Alguns pensadores recentes questionam essa excepcionalidade humana e acreditam que todas as espécies podem ser conscientes à sua maneira: nós é que não temos as ferramentas necessárias para compreendê-las.) Fato é que nós pensamos nessas perguntas o tempo todo. E temos imaginação de sobra para encontrar explicações para essas questões. A essas explicações damos hoje os nomes de mitologia, religião, magia e folclore.

"Da morte a vida renasce", por exemplo, está presente em centenas de grandes histórias contadas até hoje — da Bíblia aos contos de fadas. Na versão dos irmãos Grimm para *Cinderela*, a mãe morre e se transforma em uma árvore que ajuda a filha. Na variante chinesa, o peixe-dourado morre para virar os ossos encantados que salvam a menina. Esse tipo de fenômeno ocorre em dezenas de outros contos, nos quais uma morte acaba em renascimento.

## O OVO E A GALINHA

Mas por que estamos falando de religião?

Todo esse passeio pela Antiguidade é apenas para dizer que nossa mente, não importa em que lugar do espaço e do tempo, funciona sempre de formas parecidas. Seja hoje na maior cidade da América do Sul, seja em uma choupana simples durante a Idade Média, seja no interior da Sibéria no século XXV, as emoções que sentimos são sempre formadas a partir do mesmo material humano: nossas inquietações. Qualquer pessoa em qualquer cultura sente insegurança, medo, raiva, amor, compaixão. E, com base nesses sentimentos, surgem histórias com enredos parecidos para aplacar as mesmas angústias. Isso explica por que há tantas versões dos mesmos contos ao redor do mundo.

Eis um dos grandes mistérios que envolvem os contos de fadas: como histórias tão parecidas atravessaram os continentes? Como detalhes idênticos aparecem em narrativas separadas por milhares de anos? Há duas explicações principais para isso: ou as histórias tinham apelo suficiente para serem transmitidas de boca em boca entre as diversas culturas ou surgiram independente e simultaneamente em sociedades diferentes. A segunda teoria é parecida com o conceito de arquétipos do psicólogo suíço Carl Jung. Para ele, nossa mente guarda resquícios inconscientes de tempos primitivos, ou seja, existiriam certas imagens coletivas que todas as pessoas reconhecem e com as quais nós nos relacionamos. São temas ou figuras simbólicas que não têm "origem conhecida; e eles se repetem em qualquer lugar do mundo, mesmo onde não é possível explicar a sua transmissão por descendência direta", escreveu Jung em seu clássico *O homem e seus símbolos*.[3] Essa noção de imagens ancestrais identificáveis por qualquer um em qualquer parte do mundo, como se carregássemos no inconsciente um mecanismo predestinado a criar os mesmos símbolos em qualquer situação, explicaria os contos tão parecidos em regiões muito distantes e sem comunicação óbvia entre si. Para essa linha de argumentação, as mesmas histórias nasceram independentemente em diversas partes do mundo.

A outra teoria para a recorrência dos temas nas histórias é que eles simplesmente tenham sido transmitidos de boca em boca até os confins da Terra. Medo da morte, rivalidade entre irmãos, busca pelo desconhecido, entre muitos outros, são assuntos universais, que existem dentro de qualquer pessoa e que geram histórias igualmente universais. Gostamos de inventar e compartilhar contos que tratem desses temas. Justamente porque nos identificamos com eles foi que as histórias se espalharam. Seu apelo é tão forte que caminharam de um cérebro para o outro — como um meme, no sentido original da palavra.

Por isso, *Cinderela* chegou à China, à Austrália e ao Brasil. Qualquer pessoa se sente bem quando ouve a história da menina pobre que dá a volta por cima. Mesmo a história incestuosa de *Pele de Asno* tem um apelo universal: se ela circulou pelo mundo durante séculos é porque devia gerar algum tipo de atração muito forte nos leitores. Faz parte da nossa natureza gostar sempre das mesmas histórias. O mitólogo estadunidense Joseph Campbell, que passou a vida comparando os rituais e as religiões ao redor do mundo, escreve em seu livro *O poder do mito*:

> Você tem o mesmo corpo, com os mesmos órgãos e energias que o homem de Cro Magnon tinha, trinta mil anos atrás. Viver uma vida humana na cidade de Nova Iorque ou nas cavernas é passar pelos mesmos estágios da infância à maturidade sexual, pela transformação da dependência da infância em responsabilidade, própria do homem ou da mulher, o casamento, depois a decadência física, a perda gradual das capacidades e a morte. Você tem o

mesmo corpo, as mesmas experiências corporais, e com isso reage às mesmas imagens...[4]

Contos de fadas, claro, não são mitos. Eles não servem para responder às grandes questões da humanidade; antes disso, são uma forma de entretenimento. No máximo, serviam como manual de costumes e ensinavam as pessoas a se comportar em sociedade. Em vez de terem surgido a partir das grandes inquietações existenciais, é provável que a fonte dos contos populares tenha sido narrativas sobre a vida cotidiana, acontecimentos banais, que geravam historietas fantásticas. Por exemplo, um caçador que saiu certa vez para rastrear um cervo, se perdeu no meio do caminho, quase foi atacado por lobos, mas ainda assim conseguiu voltar para casa é uma boa história. Quando esse caçador resolveu contar a aventura para sua aldeia, talvez tenha aumentado um pouco as circunstâncias para ganhar mais atenção e prestígio — quem conta um conto, sabemos, aumenta um ponto. A narrativa começava, assim, a ganhar características sobrenaturais e simbólicas.

"Contar uma história — ou seja, comandar a palavra — era vital para alguém que quisesse se tornar líder, xamã, padre, sacerdotisa, rei, rainha, curandeiro, benzedor, clérigo etc. em uma família, um clã, uma tribo ou uma pequena sociedade específica", escreve Jack Zipes, um dos grandes estudiosos de contos de fadas, no seu livro *The Irresistible Fairy Tale* [O conto de fada irresistível].[5]

As histórias mais relevantes de cada povo eram então passadas adiante ao longo de gerações, ganhando as cores e os sabores da cultura local, como já vimos, e sendo recheadas com os temas das religiões e dos mitos. Aquele caçador contador de histórias tinha inventado o folclore. Troque a figura do caçador pela menininha do povoado que vai dar uma volta na floresta, encontra um lobo feroz e retorna para casa sã e salva, e temos a origem pré-histórica de *Chapeuzinho Vermelho*. Ninguém garante que foi isso que aconteceu, mas tampouco é implausível pensar em uma situação assim.

Um ponto sobre o qual os estudiosos concordam é a influência que os diversos tipos de narrativa tiveram um sobre o outro. O mito influenciou a fábula, que influenciou o conto popular, que influenciou o romance moderno... e por aí vai. Muitos contos de fadas, por exemplo, se parecem com fábulas, aquelas histórias curtas protagonizadas por animais e objetos inanimados falantes que terminam com uma lição de moral. Alguns dos mais famosos contos, como *O Gato de Botas* e *O patinho feio*, são estrelados por bichos que falam; outros, como *O Soldadinho de Chumbo*, *A agulha de passajar* ou *A chave da porta*, todos de Hans Christian Andersen, por objetos inertes. Dizem que as fábulas foram inventadas por Esopo, um escravizado grego que teria juntado dezenas dessas histórias. Mas não há consenso nem que ele de fato tenha existido e, hoje em dia, já é unanimidade que as fábulas surgiram na Suméria e na Mesopotâmia, no remoto século VIII a.C. Dessas regiões, os contos migraram para os antigos gregos, que, por sua vez, influenciaram toda a cultura europeia dos séculos seguintes. Mas há fábulas em toda parte, desde a Índia, a China e o Japão até a América do Sul e a Oceania. Ou seja, no folclore, o troca-troca de histórias é intenso. O folclore sempre foi promíscuo — e nômade.

Hoje, pode-se traçar o caminho arqueológico dos contos de fadas com base em restos de histórias encontrados em diversas partes do planeta. É o que fazem os folcloristas, juntando pequenos pedaços de narrativas e comparando-os com a tabela de Aarne-Thompson para formar um imenso quebra-cabeça literário. Uma das regiões mais antigas de origem dos contos é a Índia, terra do *Panchatantra*, uma coleção de fábulas compilada no século III a.C. Traduzida para o grego na Idade Média, chegou ao mundo árabe na mesma época. Diversos contos do *Panchatantra* aparecem em *As mil e uma noites*, por exemplo. Já a antologia árabe foi traduzida para o francês em 1704 e logo se espalhou pela Europa, contaminando também o folclore.

As duas teorias que explicam a origem dos contos — a dos arquétipos, segundo a qual os contos que falam de um mesmo tema surgiram espontaneamente em diversas partes do mundo; e a da difusão, que descreve o caminho dos contos via Índia e Arábia — têm seus defensores. Para o diretor do Museu Grimm, em Kassel, na Alemanha, e um dos maiores especialistas em contos de fadas do mundo, a segunda teoria é mais convincente: "Já temos evidências suficientes que mostram que os contos foram sendo difundidos e adaptados ao longo dos séculos em diversas culturas", diz Bernhard Lauer.[6]

Mas isso não explica, é claro, a gênese das histórias nos primórdios de tudo: de onde surgiram essas histórias tão persistentes? A resposta, nesse caso, vai ser pura especulação. No fundo, as duas teorias sobre os contos de fadas podem se complementar: as histórias surgiram a partir de imagens universais com as quais todo mundo se identifica e foram espalhadas com rapidez por contadores justamente por causa de seu apelo. Mas essa, sim, é uma questão mais difícil que a do ovo e da galinha.

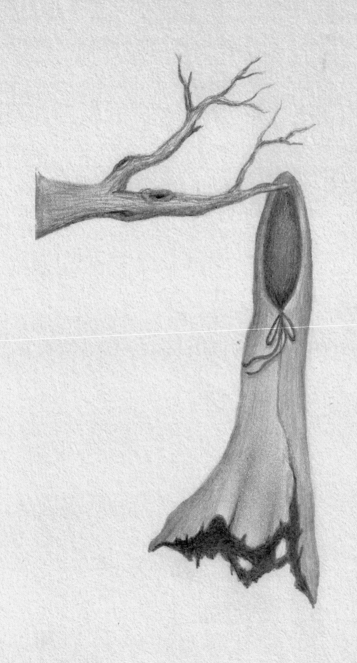

# Capítulo II

## CHAPEUZINHO VERMELHO E OS LOBISOMENS

*"Chapeuzinho Vermelho foi o meu primeiro amor. Eu sentia que, se pudesse me casar com Chapeuzinho Vermelho, seria feliz para sempre."*

Charles Dickens, *A Christmas Tree*, 1850

Era uma vez uma menina que trabalhava em uma pequena loja na região da Galícia Austríaca, um pedaço de terra onde hoje fica a Ucrânia. Certo dia no inverno de 1849, ela recebeu uma tarefa do dono da mercearia: levar uma encomenda de comida para um cliente. A casa dele não era longe, ficava um pouco afastada do vilarejo, no meio de uma pequena, mas densa, floresta. Fazia frio, havia nevado, e ela tratou de apertar bem o gorro de lã na cabeça. Saiu com o pacote ainda durante o dia, mas não voltou até o anoitecer. Logo deram por sua falta.

Ao final da tarde, o dono da venda começou a ficar preocupado e partiu à procura da sua funcionária com a ajuda de alguns vizinhos. Entraram na floresta, que, àquela altura, já estava completamente coberta de neve, e tiveram a sorte de ainda reconhecer as pegadas da jovem. Perceberam, então, que ela havia se afastado da trilha principal, provavelmente distraída com algo que avistara durante o caminho. O inverno daquele ano estava especialmente perigoso: várias pessoas já haviam sido atacadas por lobos nos últimos meses, e todo mundo sabia disso. Infelizmente, depois de algum tempo, os rastros da menina ficaram cada vez mais difíceis de reconhecer, e o dono do armazém desistiu da busca. Ela nunca mais foi vista. E sua morte acabou caindo na conta dos lobos maus da floresta.

Mas pode não ter sido o lobo mau.

Dias depois, na mesma província, o dono da hospedaria percebeu que alguns de seus patos haviam desaparecido. A suspeita logo caiu sobre um morador do vilarejo, um homem que sustentava a mulher e os dois filhos com o dinheiro que recebia de esmolas. Como vivia importunando as pessoas com seus pedidos, ele era malvisto. Todos suspeitavam do maltrapilho.  O dono da hospedaria resolveu investigar por conta própria o sumiço das aves e teve certeza de que o homem estava envolvido no crime quando sentiu um forte cheiro de churrasco saindo da casa dele. Quando invadiu a choupana para pegar o bandido com a boca na botija, ou melhor, na coxa de pato, viu uma cena aterrorizante: o corpo de uma menina de cerca de catorze anos sendo assado no fogão, com as vísceras cuidadosamente separadas do resto. E lá estava o homem, esperando o assado ficar pronto. Diante do flagrante, ele foi preso e confessou ter matado outras seis pessoas, embora buscas na casa dele tenham revelado restos de roupas — casacos e chapeuzinhos, por acaso — de no mínimo catorze pessoas. O homem foi para a prisão e estava pronto para ir a julgamento, mas acabou enforcando-se na cadeia. Até hoje não se sabe se a menina que desapareceu na floresta era uma de suas vítimas.

Não, a história acima não é a origem real do conto *Chapeuzinho Vermelho*. Em 1849, as versões mais conhecidas da menina de gorro vermelho — a do francês Charles Perrault e a dos irmãos Wilhelm e Jacob Grimm — já haviam sido publicadas e circulavam o mundo em forma de conto de fadas. Esse relato da Galícia, na verdade, é histórico, faz parte de *O livro dos lobisomens*, uma obra escrita no século XIX que reúne casos de ataques de lobos e de pessoas que se pensavam ser lobisomens. Publicado em 1865 por Sabine Baring-Gould, um pastor anglicano inglês, o livro é um apanhado de acontecimentos coletados em suas viagens pela Europa, um mais assustador e inacreditável que o outro.

É improvável que todos os casos reunidos no livro sejam verdadeiros; afinal, o autor os recolheu de relatos orais. Ou seja, sabe-se lá se a história da menina do armazém aconteceu daquele jeito mesmo. Mas a quantidade de registros de ataques de lobisomens que ele conseguiu coletar não deixa dúvida sobre um assunto: no final do século XIX, a população europeia acreditava que pessoas pudessem se transformar em lobos e atacar inocentes menininhas. Mesmo que os casos não fossem reais, a crença existia.

O livro de Baring-Gould mostra que o medo de um ataque de lobos era real na Europa daquela época. É essa fantasia popular que pode ter dado origem à história que você leu quando criança. Nunca houve um lobo específico que comeu uma menina específica que usava um chapéu vermelho específico: deve ter havido muitos casos parecidos com esse — ou pelo menos ouvia-se falar em casos assim.

Mas, antes de falar sobre meninas e lobos da vida real, voltemos aos contos de fadas.

## A Chapeuzinho ancestral

Primeiro, é bom esclarecer algumas coisas. Não existe apenas uma variante de *Chapeuzinho Vermelho*. Há versões do conto que tiveram origem na Itália, na Polônia, na França, na Alemanha e na Áustria. O começo de todas é sempre muito parecido: a mãe pede à filha que leve comida e bebida para a vovozinha, que está doente na casa dela, na floresta. No meio do caminho, já dentro do bosque, a menina se distrai — ou sai da trilha para colher flores ou dá ouvidos a um lobo que lhe pergunta aonde vai. Inocente que só, Chapeuzinho passa as instruções exatas para a casa da avó, onde a pobre velhinha acaba devorada pelo lobo mau. É a partir daí que as histórias começam a mudar de acordo com cada versão. Os finais são ainda mais diversos, e importantes para entender a transformação do conto.

Comecemos pela versão de Jacob e Wilhelm Grimm.

Chapeuzinho entra na casa da avó e encontra o lobo vestido com as roupas da velhinha. É aí que começa o interrogatório mais famoso dos contos de fadas.

> "Vovó, mas que mãos grandes você tem."
>
> "É para te agarrar melhor!"
>
> "Mas, vovó, que terrível boca enorme é essa?"
>
> "É para te comer melhor."
>
> E com isso o lobo saltou da cama, pulou sobre a pobre Chapeuzinho e a engoliu. Depois de ter saciado o apetite, o lobo voltou para a cama, adormeceu e começou a roncar, fazendo um barulho fenomenal. Um caçador, que naquele momento estava passando em frente à casa, ouviu o barulho e pensou: "Como pode uma velhinha roncar desse jeito? Melhor verificar".

Então ele entrou na casa e, ao chegar à cama, deparou-se com o lobo, a quem procurava havia tempo. "Ele deve ter comido a avó", pensou, "e talvez ainda seja possível salvá-la, por isso é melhor não atirar". Então, buscou a tesoura e cortou a barriga do lobo. Assim que deu os primeiros cortes, avistou o chapeuzinho vermelho brilhando, e, depois de mais uns cortes, a menina saltou para fora dizendo: "Nossa, que susto. Estava tão escuro na barriga do lobo". Logo depois, a avó também saiu com vida. Chapeuzinho correu para buscar pedras bem pesadas que eles colocaram na barriga do lobo, e, quando ele acordou e quis ir embora, as pedras pesaram tanto que ele acabou caindo morto.[7]

Essa é a variante mais conhecida e adaptada para o gosto infantil. Um monstro assustador derrotado pela liga do bem formada por Chapeuzinho, vovó e caçador é o tipo de história que se espera contar para crianças na hora de dormir. Mas essa não é a versão mais antiga do conto. A que primeiro ganhou popularidade foi a do francês Charles Perrault, publicada em 1697 (a dos irmãos Grimm só apareceu em 1812). São dele também algumas das versões mais famosas de *Cinderela*, *A Bela Adormecida* e *O Gato de Botas*, aliás. E, nas palavras do francês, a história de Chapeuzinho não termina tão redentora quanto a dos alemães: o final é bem mais cruel com a menina. Mas vamos voltar mais um pouquinho no tempo.

Para entender o tipo de narrativa que Perrault registrou para crianças, é preciso entender o que o escritor fazia da vida e quais eram suas intenções ao escrever contos de fadas. Charles Perrault era membro da imensa corte do rei francês Luís XIV, o Rei Sol, o mais perdulário dos absolutistas da época. Ao redor do monarca viveu uma das sociedades mais obcecadas por luxo e excessos que os séculos passados conheceram. E, dentro dela, vivia Perrault, um escritor de origem burguesa e bem-visto pela realeza.

*Bon vivant* e versátil, ele acabou no Palácio de Versalhes depois de uma sucessão de carreiras frustradas. Antes de entrar de vez no mundo da escrita, Perrault tentou ser médico, teólogo e advogado, mas não teve sucesso nessas profissões. O grande salto profissional de

Perrault veio quando ele decidiu se dedicar à arquitetura. Começou desenhando uma casa para o irmão, que logo chamou a atenção de Jean-Baptiste Colbert, o ministro de Estado de Luís XIV. Colbert era quem mandava de fato naquele reino enquanto o monarca festejava. E foi ele, por sua vez, que chamou Perrault para ajudar a terminar o Palácio de Versalhes, que naquela época — 1657 — ainda estava em construção. Perrault nunca mais saiu de Versalhes.

Logo o escritor começou a frequentar as festas e os eventos da alta corte. Participava também dos debates acadêmicos mais acalorados e gostava principalmente das discussões entre conservadores e modernistas. Ele mesmo era grande defensor dos novos tempos — entre suas obras mais respeitadas estava um enorme poema que exaltava as vantagens da modernidade. Para ele, não havia tempo melhor para se viver do que o presente.

Por isso, é meio estranho que Perrault tenha entrado para a história como autor de contos de fadas da época da carochinha. O título original de sua coletânea de historietas é *Histoires ou Contes du temps passé, avec des moralités* [Contos de tempos passados, com moralidades], um título que deixaria qualquer conservador orgulhoso. De fato, envergonhado com o tom antiquado do livro, Perrault nem sequer assinou a primeira edição da obra, em 1697: creditou-a ao filho mais novo, Pierre Darmancour, com medo do julgamento que a alta sociedade faria. O nome que acabou conquistando o mundo foi o que ficava logo abaixo do título oficial: *Contos da Mamãe Gansa*. Na capa, estava estampada a ilustração de uma pacata velhinha — uma avó ou uma babá — contando histórias para algumas crianças ao lado de uma enorme lareira. E é exatamente nessa versão, dedicada aos pequeninos, que o final de Chapeuzinho não é tão feliz.

> O Lobo, vendo-a [Chapeuzinho] entrar, disse-lhe, escondendo-se sob as cobertas: "Ponha o bolo e o potezinho de manteiga sobre a arca e venha deitar aqui comigo".
> Chapeuzinho Vermelho despiu-se e se meteu na cama, onde ficou muito admirada ao ver como a avó estava esquisita em seu traje de dormir. Disse a ela: "Vovó, como são grandes os seus braços!".

"É para melhor te abraçar, minha filha!"

"Vovó, como são grandes as suas pernas!"

"É para poder correr melhor, minha netinha!"

"Vovó, como são grandes as suas orelhas!"

"É para ouvir melhor, netinha!"

"Vovó, como são grandes os seus olhos!"

"É para ver melhor, netinha!"

"Vovó, como são grandes os seus dentes!"

"É para te comer!" E assim dizendo, o malvado lobo atirou-se sobre Chapeuzinho Vermelho e a comeu.[8]

Chapeuzinho tira a roupa, entra na cama com o lobo e, sem mais nem menos, é devorada. E a história acaba assim, sem salvação, nem caçador heroico, nem final redentor. A coleção de histórias do francês foi um sucesso. Acabou reeditada ainda no mesmo ano e Perrault logo tratou de colher os louros e foi reconhecido como o autor. Isso mostra que os contos de fadas não foram um escorregão na gabaritada carreira do escritor. Perrault foi muito oportunista ao capturar o espírito de seu tempo — apenas alguém muito antenado perceberia que um livro com essa temática faria o sucesso que fez.

Na verdade, o assunto já andava quicando pela corte. Havia alguns anos, o hábito de se reunir e contar histórias supostamente populares tinha caído no gosto da elite francesa. As narrativas ainda não eram voltadas para o público infantil, mas tinham um tom mais simples, como se tivessem acabado de ser contadas por um camponês.

A moda de coletar as histórias-raiz contaminava a Europa havia já alguns anos. Uma das primeiras manifestações dessa tendência surgiu na Itália, onde dois autores, Gianfrancesco Straparola e Giambattista Basile, lançaram coletâneas de fábulas populares escritas em forma de conto ainda em 1550 e 1634, respectivamente. Diversas histórias conhecidas hoje em dia já estavam lá registradas, como *Cinderela* e *Branca de Neve*. Nessas edições, os textos eram mais escrachados do que os que conhecemos, cheios de trocadilhos de duplo sentido, sexo e reviravoltas.

Para entender o espírito da coisa, vamos dar uma olhada na história de Petrosinella, a versão de Basile para Rapunzel, publicada no livro *Il Pentamerone*, de 1634, que no Brasil ganhou o título *O conto dos contos*. Nela, Rapunzel é descrita como uma menina "bela como a lua crescente", que "não possuía muita capacidade mental". Assim como nas versões que conhecemos, a donzela acaba presa no alto de uma torre inacessível. Da mesma forma, um príncipe se apaixona perdidamente por ela e começa a visitá-la sorrateiramente à noite. Mas, nesse caso, quando o príncipe encontra a amada, não há meias palavras para descrever o que eles faziam. O rapaz "sacia seus desejos e come do doce molho de salsinha do amor". ("Comer do molho de salsinha" não é um fetiche sexual esquisito, é uma metáfora bem pouco sutil: "*Petrosinella*" em italiano é uma variante da palavra "salsinha".) Quando a bruxa descobre o caso da heroína, os dois amantes resolvem fugir e dão início a uma atrapalhada corrida. Toda vez que a vilã tenta se aproximar, Petrosinella joga uma noz mágica para afastá-la: primeiro, a noz se transforma em cachorro, depois em leão e por último em lobo, que finalmente devora a bruxa — uma situação à altura do jogo *Mario Kart*.

Depois de Basile e Straparola, a tradição europeia de anotar historietas populares teve uma vida longa e próspera. Seria ela também que daria origem à coleção de contos de fadas mais famosa da história, a dos irmãos Jacob e Wilhelm Grimm, em dois volumes lançados em 1812 e 1815. Mas não morreu por aí: ela se espalhou para os países nórdicos, onde deu à luz Hans Christian Andersen, chegou à Rússia e sobreviveu firme e forte até o final do século XIX. Na Irlanda, em meados do século XIX, o pai do escritor Oscar Wilde, médico de renome, pedia como pagamento dos pacientes mais pobres uma historinha popular. Sua mulher anotava as narrativas que anos mais tarde se tornariam fonte de inspiração para o filho escrever seus contos.

Assim, a obra de Charles Perrault não foi uma mancha na brilhante carreira de intelectual. Foi um best-seller intencional. Na França, as narrativas perderam o escracho das fábulas italianas, mas ainda focavam a vida das camadas mais simples da população. Quem começou a escrever e publicar essas histórias por lá foram as mulheres da alta sociedade parisiense. A escritora mais famosa dessa leva foi Marie-Catherine d'Aulnoy. É dela o conto de fadas *L'île de la félicité* [A ilha da felicidade], de 1690, que inaugurou a febre por esse tipo de narrativa na nobreza. Foram as mulheres também que começaram a incluir as fadas nas narrativas, o que acabaria batizando todo o gênero (o que é curioso, porque há supreendentemente poucas fadas nas histórias mais populares). Graças a d'Aulnoy a expressão *contes de fée* acabou se popularizando e sendo traduzida para outras línguas, como *cuentos de hada*, *fairy tales* e o nosso "contos de fadas". Na Alemanha, eles são chamados de *Märchen*, diminutivo de *Mære*, que nas versões arcaicas do idioma queria dizer "mensagem", "acontecimento", "verdade". Ou seja, para os germânicos, os contos de fadas são um pedacinho de vida real.

Mas voltemos à França. As histórias simples arrebataram os salões literários da época, e todo escritor que se prezasse passou a querer publicar esse tipo de obra. Perrault foi apenas o mais famoso deles. De fato, depois de algum tempo, havia tanta gente escrevendo contos de fadas que surgiu até um mercado paralelo de best-sellers que publicava imitações das obras originais na tentativa de vender mais livros — tais quais as cópias e *fanfics* de *Crepúsculo* ou *Cinquenta tons de cinza*, que surgiram no embalo dos originais. No final do século XVII, esse tipo de literatura era tão popular que havia festas temáticas de contos de fadas, às quais as pessoas iam fantasiadas de seus personagens favoritos.

Foi na França também que os contos ganharam status de literatura infantil. Havia pouco tempo que as crianças tinham passado a ser consideradas uma categoria à parte, com vontades e necessidades próprias. Deixaram de ser tratadas como pequenos adultos e viraram seres em formação. E nada melhor que usar contos de fadas, tão populares e abundantes, para formar esse novo público leitor. Foi por isso que Perrault chamou seu livro de *"Contos de tempos passados, com moralidades"*: cada historinha vinha acompanhada de uma pequena lição ao final para educar os leitorzinhos.

No caso de *Chapeuzinho Vermelho*, a dica era para as jovens meninas:

> Crianças, especialmente as moças bonitas e bem-nascidas, jamais deveriam falar com estranhos, porque, se o fizerem, podem acabar virando janta de lobo. Eu digo "lobo", mas existem vários tipos de lobo. Há também aqueles que são charmosos, quietos, educados, modestos, complacentes e doces, que perseguem jovens mulheres em casa e nas ruas. E, infelizmente, esses lobos gentis são os mais perigosos de todos.[9]

A mensagem não deixa dúvida sobre o alerta que o escritor queria dar. Menina de família não ficava por aí conversando com estranhos; afinal, ninguém sabia do que eles seriam capazes. Na versão de Perrault, Chapeuzinho acaba devorada pelo vilão, e a culpa pela tragédia é da própria menina: quem mandou ficar de conversinha com um lobo mau? A vítima, injustamente, virou a culpada — não bastava ter sido devorada viva, ela ainda precisava ser advertida. A lógica está toda inversa. Isso explica o final cruel. Para que as crianças entendessem o recado, a menina tinha de ser punida por ter dado trela ao lobo. E, por mais perverso que isso possa parecer, o escritor sabia contra quem estava alertando. A moral pode ter sido inspirada em um tipo de pessoa que o escritor conhecia muito bem.

## Humanos ou feras?

França, 1644. Nascia François-Timoléon de Choisy, filho caçula de um bem relacionado casal de burgueses da corte do Rei Sol. Sua mãe, Madame de Choisy, era uma puxa-saco oficial da realeza e tinha como objetivo de vida manter-se o mais próxima possível do poder, frequentando os salões e as festas mais badaladas. Não media esforços para agradar e servir os altos escalões. Realmente não media esforços. Quando soube que o pequeno Filipe, o irmão mais novo do rei Luís XIV, estava sendo criado como menina para ficar com "trejeitos afeminados" e nem sonhar em disputar o trono com o irmão mais velho, Madame de Choisy não teve dúvidas: começou a fantasiar o próprio filho de menina. A ideia era que os dois menino-meninas pudessem brincar juntos e, assim, a família Choisy se aproximasse ainda mais da realeza.

O plano foi bem-sucedido. De fato, as duas crianças se tornaram amigas e Madame de Choisy acabou apadrinhada por Luís XIV. O que ela não esperava era que seu filho nunca mais quisesse se afastar da indumentária feminina. François-Timeléon acabou vestindo-se de mulher ao longo da maior parte da vida, inclusive quando foi nomeado padre, abade e membro da Academia Francesa. Choisy nunca mais se acostumou às roupas masculinas e não tinha vergonha de frequentar a corte com todos os apetrechos fabulosos a que tinha direito. Assim, tornou-se um dos mais famosos crossdressers dos séculos passados.

Mas se engana quem acha que ele se interessava por homens. Choisy era um galanteador de primeira e aproveitava sua aparência exótica para se aproximar das mulheres. Como estava sempre vestido de mulher, mães e pais não temiam manter as filhas por perto. Moças da corte, que eram criadas para ficar bem longe de qualquer homem até o dia do casamento, conviviam tranquilamente com o rapaz sensível de vestido.

Mães mandavam as filhas para a casa de Choisy para tomar aulas de moda, etiqueta e interpretação. O futuro abade gostava de se vangloriar de suas conquistas sexuais e deixou registrado em suas memórias como costumava receber as jovens da corte em sua cama (sempre vestido de mulher, é claro), onde rezava e pedia beijos de boa-noite, fingindo ser uma inofensiva dama, até ir aos finalmentes com elas. Não à toa, uma das meninas enviadas à casa dele para ter aulas de etiqueta ficou grávida. Um escândalo.

Perrault estava bem familiarizado com essas artimanhas. O escritor não só conhecia Choisy como também foi coautor com ele de um livro que conta a história de amor entre um homem vestido de mulher e uma mulher vestida de homem. Ou seja, Perrault observou de perto os perigos que os lobos mais inofensivos — um homem que se passa por mulher — podiam representar. A história de *Chapeuzinho Vermelho* alerta as meninas justamente contra pessoas como Choisy.

A advertência era oportuna na época, na visão de homens como Perrault, pois pela primeira vez a alta sociedade francesa desenvolvia um pequenino movimento protofeminista. Nele, mulheres da corte parisiense começaram a questionar os casamentos arranjados a que eram submetidas (geralmente com homens bem mais velhos) e defender o direito de não ter filhos ou de cuidar de suas próprias finanças. Para debater seus pontos de vista, elas começaram a se reunir para contar histórias nas quais as mulheres eram as protagonistas — e os contos de fadas faziam parte dos gêneros favoritos dessas reuniões. Isso explica por que muitos contos são protagonizados por mulheres: princesas, mocinhas e plebeias.

As demandas femininas, é bom lembrar, eram um discurso nunca antes ouvido. Durante os séculos anteriores, o papel da mulher era ficar em casa, sem agência própria. De fato, durante os tempos medievais, e também nos séculos seguintes, muitas mulheres de alta classe na França eram literalmente trancadas em quartos separados para ficar longe do convívio da sociedade. Há um conto dos irmãos Grimm que traz um resquício desse hábito: *Os sapatos gastos de tanto dançar*, que conta a história de um rei que tinha doze filhas, uma mais linda que a outra. Para garantir que ninguém se aproximasse delas, o pai as trancava no quarto todas as noites. (Ainda assim, elas arranjavam uma maneira de escapar e passar as noites dançando com doze príncipes igualmente lindos.) Mas nem é preciso procurar exemplos desse comportamento na ficção. A própria mulher de Perrault foi internada em um convento aos quatro anos e só saiu pouco antes de os dois se casarem. Ainda em 1673, na França, uma lei determinava que, a fim de preservar as filhas, um pai tinha o direito de confiná-las até os 25 anos ou até que se casassem.

A honra de toda a família dependia do bom comportamento — e da castidade — das moças. Os pais tinham direito sobre a vida e a morte das filhas, e sobre tudo o que acontecia no meio também, principalmente o casamento. As mulheres eram associadas ao sexo, à luxúria e à perdição — coisas veementemente condenadas pela Igreja. O senhor da casa tinha o dever — e o poder — de vigiar, punir e até matar as mulheres que estivessem sob sua responsabilidade. E aí o leque era bem abrangente: filha, esposa, sogra, nora, sobrinha, neta ou até parente de servo ficava sob sua tutela. Trancadas em quartos, restava às mulheres rezar, fiar, bordar — e contar histórias.

O dever da mulher era ficar calada e não expressar desejos. A Bíblia era citada para reforçar essa atitude. "A mulher aprenda em silêncio, com toda a sujeição. Não permita, porém, que a mulher ensine, nem use de autoridade sobre o marido, mas que se mantenha em silêncio", diz o salmo de Timóteo (2,11).[10] Não é à toa, portanto, que tantos contos, muitos de origem medieval e católica, trazem personagens femininas que, para salvar os irmãos ou maridos, devem ficar em absoluto silêncio, como sinal de obediência e virtude. É o caso de *Os doze irmãos*, dos Grimm, e *Os cisnes selvagens*, de Hans Christian Andersen, que contam histórias muito parecidas. Nelas, onze príncipes são transformados em aves ou flores por uma bruxa, e é missão da única irmã salvá-los. Para isso, ela tem de passar anos e anos em silêncio absoluto. (Ela não só consegue cumprir a tarefa como, de quebra, ainda arranja um príncipe para se casar. Ele se sentiu atraído justamente — olhe só — pelo silêncio impecável da moça.)

Assim, quando esse novo movimento feminino surgiu na França e mulheres começaram a lutar pelos seus parcos direitos, não era de estranhar que fossem vistas com maus olhos pela elite masculina. O burburinho corria à solta dentro da própria corte e, não por acaso, envolvia também as escritoras de contos de fadas. A própria Marie-Catherine d'Aulnoy era o tipo de mulher que Perrault e as classes conservadoras reprovariam. A história dela é digna de romance.

Aos quinze ou dezesseis anos (as datas são controversas), a jovem Marie-Catherine foi obrigada a se casar com um nobre francês que tinha três vezes sua idade. O casamento se revelou infeliz. O Barão d'Aulnoy era um notório pilantra e jogador compulsivo, e Marie-Catherine logo tentou se livrar dele. Junto à mãe (e supostamente aos amantes das duas), em 1669, Madame D'Aulnoy tramou uma história mirabolante contra o marido: com apenas dezenove anos, espalhou boatos de que o barão teria reclamado em público dos altos impostos que pagava, um ato que naquele tempo era considerado crime de lesa-majestade. O marido acabou preso na Bastilha, mas conseguiu provar sua inocência. Bom para o barão, péssimo para Marie-Catherine e a mãe dela. As duas foram condenadas à prisão, mas conseguiram fugir da França a tempo. Os supostos amantes tiveram menos sorte: acabaram torturados, confessaram o crime e foram executados.

De acordo com algumas teorias, Madame d'Aulnoy começou então a trabalhar como espiã francesa, e há indícios de que tenha passado temporadas na Inglaterra, na Holanda e na Espanha. A hipótese até faz sentido, porque anos depois, em 1685, a escritora recebeu o perdão da corte e foi autorizada a voltar para Paris. Foi apenas depois do retorno que Madame d'Aulnoy começou a escrever os contos de fadas que a tornariam famosa nas décadas seguintes e a organizar os salões literários para mulheres da alta sociedade. Boa parte das histórias foi inspirada em sua própria vida. Várias personagens se casavam com maridos terríveis, e os enredos continham detalhes de terras distantes e fantasiosas que a escritora coletou durante suas viagens. Não se sabe ao certo quais fatos de sua biografia extraordinária realmente ocorreram — se foram inventados ou aumentados, por exemplo —, pois seu livro de memórias foi escrito por mais uma autora de contos de fadas, Henriette-Julie de Murat. Mas dá para entender as linhas gerais.

Madame de Murat, aliás, era outra mulher de deixar os conservadores de cabelo em pé. Também foi expulsa da corte de Luís XIV, mas por "acusações" de lesbianismo e por comportamento incompatível com a "moral e os bons costumes". Tinha o hábito de dizer em alto e bom som que "vivia para o prazer" e costumava ir à missa vestida com um singelo chapeuzinho vermelho, como o do conto homônimo.

As mulheres da alta corte não estavam para brincadeira. Assim, quando tentou reforçar as boas maneiras das meninas no final de *Chapeuzinho Vermelho*, Perrault estava também reprovando a tentativa dessas novas mulheres de mudar as relações entre os gêneros.

A transformação que se via nas damas da sociedade era uma de muitas que estavam acontecendo. Os séculos XVI e XVII testemunharam o nascimento de diversas convenções sociais. Foi um tempo no qual começaram a se desenvolver regras de etiqueta, de comportamento, de gestos e formalidades, e até a se entender que soltar fluidos e gases corporais em público não era desejável.

Esse, aliás, é um capítulo curioso da história humana. Nesse período, surgiram diversos manuais de etiqueta com orientações sobre condutas nas mais variadas situações sociais. Até mesmo o famoso filósofo e humanista Erasmo de Roterdã lançou um manual de bons modos em 1530. É elucidativo. Diz Erasmo: "Não enfie o dedo no nariz enquanto come", "Vire-se ao cuspir para que a saliva não atinja alguém" e "Não cumprimente alguém enquanto a pessoa está urinando ou defecando". É de admirar que conselhos desses precisassem ser dados, mas o livro virou best-seller pelos dois séculos seguintes. Foi quando o autocontrole nasceu.

Assim, as dicas de bom comportamento de Charles Perrault combinavam com sua época. Seu livro com moralidades era também uma tentativa de garantir que as gerações seguintes de crianças fossem mais bem-comportadas. E que as de mulheres fossem mais contidas. Em seu conto, a menininha de chapéu vermelho é devorada viva (uma metáfora para estuprada) por não ter seguido ordens e ter insistido em seguir suas vontades. Quem mandou dar bola para um salivante lobo no meio da floresta? Punir ou advertir o lobo mau que de fato *matou* e *comeu* uma inocente menininha — e é o verdadeiro vilão da história — não passou pela cabeça do escritor.

## Sobre meninas e lobos

Mas de onde Charles Perrault tirou essa história estranha de lobo vestido de mulher que come criancinha? Durante muito tempo, até os anos 1950, acreditava-se que Perrault não havia se inspirado em nenhum conto mais antigo para escrever *Chapeuzinho Vermelho*. No entanto, diversos pesquisadores provaram nos últimos anos que o escritor deve ter entrado em contato com outra história, muito popular na França dos séculos XVII a XIX, que narra acontecimentos parecidos. É o conto *A avó*. Ele começa da maneira como conhecemos desde a infância: uma menina leva comida para a vovozinha e encontra um monstro terrível no meio do caminho. Mas o que vem em seguida é um pouquinho mais... bruto.

O lobisomem chegou à casa da vovozinha e a matou. Guardou um pouco da carne dela na despensa e uma garrafa do sangue na prateleira. A menininha finalmente chegou e bateu à porta.

"Empurre", disse o lobisomem. "Ela está presa por um balde de água."

"Bom dia, vovó. Trouxe um pão quente e uma garrafa de leite para você."

"Coloque na despensa, minha filha. E pegue um pouco da carne que está lá e a garrafa de vinho na prateleira." Enquanto a menina comia, um gato a observava e disse: "Que vergonha! A cadela está comendo a carne e tomando o sangue da vovozinha".

"Tire a roupa, minha filha, e venha para a cama comigo", disse o lobisomem.

"Mas onde devo colocar o avental?"

"Jogue-o no fogo. Você não vai mais precisar dele."

E ela perguntou onde deveria colocar todas as roupas: o corpete, o vestido, a anágua, os sapatos e as meias.

E o lobisomem respondia: "Jogue no fogo. Você não vai mais precisar deles".

Quando entrou na cama com ele, ela disse:

"Mas, vovozinha, como você está peluda!"

"É para me manter aquecida, minha filha."

"Vovozinha, que unhas compridas você tem!"

"É para me coçar melhor, minha filha."

"Mas, vovó, que ombros largos você tem!"

"É para carregar lenha."

"E que orelhas grandes!"

"É para ouvir melhor."

"E que nariz grande, vovozinha!"

"É para cheirar melhor o meu tabaco, minha filha."

"Que boca grande você tem!"

"É para te comer melhor, minha filha."

"Mas, vovó, eu preciso fazer xixi lá fora!"

"Não. Faça aqui na cama, minha filha."

"Não, vovó, eu realmente tenho que ir lá fora."

"Tudo bem, mas não demore."

O lobisomem amarrou um fio de lã no pé da menina e a deixou ir. Assim que chegou do lado de fora, a menina prendeu o fio em uma ameixeira do jardim. O lobisomem começou a ficar impaciente e gritou: "Você está fazendo cocô? Você está fazendo cocô?". Ele não recebeu resposta; então, pulou da cama e foi correndo atrás da menininha, que havia escapado. Ele a seguiu, mas chegou à casa dela bem quando a menina conseguiu entrar.[11]

Sim, essa é a história de uma *Chapeuzinho Vermelho* que tira a roupa para o lobisomen e come e se delicia com a carne da própria avó. O texto, que bem poderia ser uma versão satírica moderna, foi anotado por volta de 1870 por um folclorista chamado Achille Millien, mas estudiosos acreditam que essa seja a versão que circulava na França antes de Perrault escrever a dele — inclusive nas regiões em que ele morava. Curiosamente, folcloristas encontraram versões dessa mesma narrativa, na qual um monstro se fantasia e faz a heroína comer uma pessoa, em culturas bem mais distantes, como em Taiwan e na China. E há também uma versão italiana chamada *A falsa avó*, na qual uma ogra oferece os dentes e as orelhas da avó para a protagonista comer.

Na França, Perrault provavelmente registrou o enredo que ele havia ouvido em algum momento da vida e o reescreveu. Evitou, por exemplo, chamar Chapeuzinho Vermelho de "cadela" e cortou os fluidos corporais todos. Também achou de bom-tom omitir a parte em que ela se delicia com a carne da avó. Além disso, Perrault adaptou a história ao seu próprio espaço e tempo e a inseriu na alta corte parisiense. Repare como na versão contada anteriormente não se menciona o "chapeuzinho vermelho" que dá nome ao conto, nem entre as peças de roupa que a menina joga no fogo. Foi o francês que inseriu esse item, seguindo a moda das mulheres de seu tempo. Como já mencionado, na corte francesa, a peça mais popular para cobrir a cabeça era o *chaperon*. A capa vermelha e comprida hoje usada para ilustrar a menininha só foi acrescida quando o conto chegou à Inglaterra, porque lá, sim, era comum esse tipo de vestimenta entre as camponesas.

Interessante também é o fato de, na versão coletada por Achille Millien, não haver um lobo. No idioma original, o vilão era um "bzou", que significa algo como "lobisomem". Como visto no começo do capítulo, a crença de que pessoas podiam transformar-se em lobos e ser atacadas por seres sobrenaturais ainda era bem difundida.

É mais um dos elementos que ajudaram a compor o *Chapeuzinho Vermelho* que conhecemos hoje.

## O LOBO E O HOMEM

Não é exagero dizer que o mito do lobisomem é quase tão antigo quanto a própria civilização. Ovídio, o poeta romano de I a.C., narra em seu livro *Metamorfoses* a transformação do rei tirano Licáon, da Arcádia, na Grécia, em lobo. A descrição do romano é rica: aos poucos, a pele de Licáon se cobriu de pelos e ele começou a uivar. Logo atacou o gado, apesar de ainda manter um pouco da sua forma humana. Foi desse personagem meio lobo, meio homem que nasceu a palavra "licantropia", um termo, digamos, mais "técnico" para a metamorfose do homem em lobo. Ovídio não foi o único a incluir essa figura mitológica em uma obra escrita. Outros importantes autores clássicos — Virgílio, Heródoto, Plínio — também deixaram seus relatos sobre o assunto. Ou seja, as antiguidades grega e romana prepararam o terreno para que a lenda dos lobisomens pudesse nascer, se perpetuar e chegar aos séculos seguintes.

A mania de lobisomem viveu seu auge na Europa da Idade Média e nos anos da Inquisição. (E depois de novo, é claro, já no século XXI, com Jacob, o personagem lobisomem e descamisado da saga *Crepúsculo*.) Naqueles tempos, os relatos eram tantos e tão comuns que era raro encontrar alguém que não acreditasse na existência desses seres. Isso pode parecer estranho para nós, mas ilustra como uma ideia acabava difundida e ganhava credibilidade.

Em uma época na qual não havia máquinas fotográficas, registros em vídeo ou método científico, a veracidade de um fato era baseada na palavra de uma pessoa. Pressupunha-se que a declaração de alguém era verdadeira — e, quanto mais honrada e respeitada essa pessoa fosse, mais a sua palavra valia como prova. Foi dessa maneira que a crença em lobisomens foi se espalhando. Não faltavam pessoas que jurassem de pés juntos que haviam visto, conhecido ou ouvido falar de alguém que tivesse se transformado em lobo. Pessoas influentes confirmavam casos de licantropia. Padres, nobres e intelectuais escreviam sobre o assunto. Lentamente, os lobisomens acabaram entrando no conjunto de crenças aceitáveis, para além de livros e documentos oficiais.

Um desses senhores respeitáveis que se pronunciaram sobre os homens-lobos foi Jean Bodin, jurista, filósofo e político francês, membro do Parlamento de Paris. Em 1580, escreveu um livro chamado *De la Démonomanie des Sorciers* (algo como "Sobre a mania demoníaca das bruxas"), no qual descrevia casos notórios de bruxaria, pactos com o demônio, além de recomendações jurídicas de como julgar e condenar os autores desses atos. O livro é conhecido por ter sido usado como manual de instruções durante a Inquisição, mas também cita os lobisomens.

O autor conta o caso de Gilles Garnier, que morava na pequena cidade de Amange, no leste da França. Ele tinha uma longa barba grisalha, era manco, morava com a mulher numa casa imunda e chamava a atenção por seus trejeitos rudes. Certo dia de outono, os homens da cidadezinha ouviram os gritos de uma menininha vindos da floresta. Quando se aproximaram dela, viram que estava ferida. Havia sido atacada por um ser que parecia lobo, mas que também poderia ser um homem: alguns disseram ter visto o animal, outros afirmaram que se tratava de Gilles Garnier. O eremita foi chamado para depor e logo confessou ter matado e comido outras três crianças. De uma delas, ele até havia levado um pedaço de carne para a esposa provar. Como era comum nos julgamentos de pessoas à época, Gilles foi condenado a ser arrastado até o local da execução e depois queimado vivo. O caso parece absurdo para os dias de hoje, mas ninguém contestou a versão: era o tipo de história plausível que circulava na época.

Mas esse não foi um acontecimento isolado. Os ataques de lobisomens pipocavam no século XVII. Sabine Baring-Gould, o autor de *O livro dos lobisomens*, já citado no começo deste capítulo, também anotou o caso de Gilles em seu livro — e o de Jacques Roulet, um morador de rua francês que em 1598 foi acusado de licantropia. Como tantas outras histórias do gênero, tudo começou com o ataque de um lobo a um adolescente no meio da floresta. Quando os moradores da comunidade chegaram ao local, afugentaram o animal e o perseguiram. Ao final da perseguição, encontraram Jacques, seminu, escondido no meio de um arbusto. De acordo com Baring-Gould, ele tinha uma longa barba, cabelo comprido e vivia "no mais abjeto estado de pobreza". Jacques acabou confessando os crimes (sob tortura, presumivelmente, como costumavam ser os interrogatórios da época). Disse que era capaz de se transformar em lobo com a ajuda de uns unguentos e confirmou ter atacado crianças. Como era de esperar, o morador de rua acabou condenado à morte, uma pena que depois foi convertida para dois anos de prisão.

Quando lemos essas histórias com nossos olhos de século XXI, pode parecer pouco plausível que alguém de fato acreditasse nesses ataques. Raros são os relatos nos quais alguém afirma ter presenciado a transformação de um homem em lobo. Quase todos os casos acusavam pessoas desajustadas de vilarejos pequenos e quase todos os acusados confessavam o crime depois de serem presos ou torturados.

Ninguém via em primeira mão a transmutação, ninguém naqueles tempos tampouco estava muito preocupado em provar que lobisomens existiam. A crença já estava bem difundida fazia séculos. É como se alguém, hoje, pedisse provas para comprovar que a Terra gira ao redor do Sol — talvez seja difícil juntar os fatos na hora sem a ajuda de um telescópio ou alguns conhecimentos de astronomia, mas ninguém em sã consciência duvida que seja verdade. O conceito de natural e sobrenatural era diferente, assim como o conjunto de crenças que regia as atividades humanas. Isso vale não só para os lobisomens, mas também para diversos elementos encantados que aparecem nos contos de fadas: bruxas, fadas, magia, animais falantes. Estes últimos, aliás, são importantes para entender histórias como *Chapeuzinho Vermelho* ou *O patinho feio*, em que bichos falam como humanos.

As pessoas dos séculos XV e XVI enxergavam os animais de forma completamente diferente da nossa. Acreditava-se que, até certo ponto, bichos tinham motivações próprias e pensamentos como os nossos. De certa forma, eram mais parecidos com nós, humanos. Em algumas situações, animais poderiam ser considerados seres inteligentes e com consciência. Poderiam até ser julgados pelos seus atos, assim como os seres humanos. Isso não é exagero. Essa crença muitas vezes era levada às últimas consequências, como no episódio que ocorreu em 1457 entre os burgúndios, um povo que se instalou na região da Borgonha, na França (e também deu nome a ela).

## Cortem a cabeça... do porco

Naquele ano, o pequeno Jehan Martin, de apenas cinco anos, foi atacado e morto por um porco doméstico. O que hoje em dia seria considerado uma fatalidade terrível foi chamado de crime naqueles tempos. Depois da morte do menino Jehan, os vizinhos não tiveram dúvida. Decidiram levar o assassino — o porco — a julgamento. O dono do animal foi convocado para representar o réu em sua defesa, mas o animal logo foi considerado culpado. O que complicava o caso era a possível participação de cúmplices na morte. O porco infanticida era, na verdade, uma porca, que cometera o crime na frente dos seis filhotinhos, talvez com o intuito de protegê-los. Embora os leitões tenham ficado cobertos de sangue, não havia indícios claros de que tivessem participado diretamente no assassinato. O juiz, para não cometer nenhuma injustiça, determinou então que apenas a mãe fosse punida — com a pena de morte. Sim, você leu direito: a porca foi enforcada, o mesmo tipo de punição aplicada a seres humanos em casos parecidos. Os filhotes foram poupados e ficaram sob a responsabilidade do dono, a quem coube a tarefa de garantir que eles nunca mais cometessem outros crimes. Se isso acontecesse, o homem se comprometeria a levá-los imediatamente à Justiça.

Esse tipo de julgamento não era frequente, mas documentos registram dezenas de casos parecidos em diversas localidades europeias. Os animais eram responsabilizados por seus atos, julgados e punidos da mesma forma que seres humanos. Os registros servem para mostrar como eram diferentes as concepções de consciência animal. Se um parecer como esse foi dado a um porco, é de imaginar que fossem atribuídos vontades ou sentimentos humanos — como raiva ou sede de vingança — a outros animais também. Entre eles, os lobos.

Aqui é importante lembrar que naqueles tempos os lobos não eram animais exóticos, que viviam apenas em reservas delimitadas. Ao contrário dos dias de hoje, quando a espécie se encontra praticamente extinta na natureza, nos séculos passados eles habitavam as florestas europeias e viviam perto dos seres humanos. Graças à voracidade e ao perigo que representavam (principalmente às crianças e aos idosos), eram comuns expedições oficiais para matar o maior número possível deles. A Inglaterra, por exemplo, extinguiu os lobos ainda no século

XV. Em outros países eles sobreviveram por algum tempo ainda. Na França, terra da *Chapeuzinho* de Perrault, até o começo do século XX os animais ainda eram perseguidos. Hoje em dia, quase ninguém entra em uma floresta com medo de topar com um lobo selvagem no meio do caminho, mas durante muitos séculos a humanidade realmente temeu os lobos maus.

Geralmente, quando se descrevem as pessoas do século passado e suas crenças, é tentador chamá-las de burras, inocentes ou atrasadas. (Esquecemos que até hoje, em pleno século XXI, há quem acredite que a Terra é plana ou que vacinas contêm um chip que controla as pessoas.) Para os nossos padrões, a lógica do passado não faz sentido. O problema é que estamos julgando-os com os olhos do futuro. É importante lembrar que nossos antepassados não eram assim tão diferentes de nós. Assim como nós, seres alfabetizados e com acesso à banda larga, nossos tataravós tentavam explicar o mundo à sua volta de acordo com o conhecimento que tinham à disposição. Para fazermos isso atualmente, achamos que o certo é usar o método científico. Elaboramos teses, que depois são testadas em laboratório ou comprovadas ao longo de anos de pesquisas. Para assuntos mais simples, podemos sempre checar todo o conhecimento já produzido na história da humanidade em uma rápida consulta ao Google.

As facilidades que temos hoje para erguer e derrubar crenças não estavam ao alcance dos nossos antepassados — e é por isso que eles parecem equivocados aos nossos olhos. Hoje, sabemos o porquê das coisas. O céu é azul porque os raios de sol refletem as ondas azuis do espectro da luz quando entram na nossa atmosfera, e não porque Deus o criou dessa maneira. Ficamos doentes porque micro-organismos nos infectaram, e não porque fomos amaldiçoados por uma bruxa. E não existem homens que se transformam em lobos e atacam criancinhas, porque nunca houve um registro comprovado de um caso assim e que pudesse ser replicado em laboratório. (Até que alguém prove o contrário, é claro.)

Nos séculos passados, o sistema de crenças não era baseado nas pesquisas mais recentes, mas em livros escritos havia centenas de anos, como a Bíblia e as obras clássicas, além de pensamentos filosóficos, como os de Santo Agostinho. O processo científico, de testar e anotar experimentos, só virou rotina no século XVII. Antes, a existência de seres sobrenaturais, de feitiços e de magia era sustentada por muita base teórica. Toda a bibliografia existente admitia a possibilidade de ocorrência de casos desse tipo. Que culpa tinham as pessoas se a Bíblia é cheia de milagres e magia? E que relate até casos de pessoas que se transformavam em animais? Na passagem de Daniel (4,33), o rei Nabucodonosor é castigado por Deus e condenado a virar um animal. Imediatamente, o rei começa a comer grama, sua pele se cobre de pelos, e as mãos e os pés se transformam em garras como as de um pássaro. Se algo assim acontecia no livro-que-ditava-todas-as-verdades, por que não poderia ocorrer no mundo real? Nos séculos passados, não havia por que duvidar da autenticidade dos lobisomens. E mais: se até hoje muitas pessoas tentam justificar suas opiniões com base na Bíblia, escrita há milhares de anos — da proibição do aborto ao veto ao casamento gay —, não fica tão difícil imaginar um mundo no qual a Bíblia ditasse *muito mais* aspectos da vida prática.

Para provar que a maneira como as pessoas entendem o mundo depende das crenças e da lógica de cada época, é só olhar como pensadores modernos tentaram explicar a licantropia. Diversos cientistas já criaram teorias para encaixar os lobisomens nos nossos padrões de conhecimento — e acabaram descambando para o outro lado, o do excesso de cientificismo. A mais famosa delas é a do médico L. S. Illis, que em 1964 escreveu um artigo defendendo que as descrições antigas de lobisomens correspondiam perfeitamente aos sintomas de porfiria. Essa doença é genética e causa feridas na pele das extremidades — em graus avançados, dedos, nariz, orelhas e boca ficam mutilados e com ulcerações. O contaminado fica com olhos vermelhos e dentes amarronzados e tem surtos psicóticos, e a doença infecta mais homens do que mulheres. Todas essas características e sintomas poderiam encaixar-se nas descrições de lobisomens dos séculos passados.

Para Illis, a teoria fazia muito sentido. Explicava também por que o mito do homem que vira lobo estava presente em quase todas as culturas do planeta, do Japão à América do Sul. Afinal, a doença pode aparecer em qualquer parte do mundo. (Na verdade, não há nada de muito especial nessa distribuição geográfica. Em quase todas as mitologias há algum relato de transformação de homem em animal — é só lembrar da nossa Iara, a indígena guerreira que se transforma em sereia de rio na Amazônia.)

Outros cientistas também tentaram justificar a lenda com doenças ainda mais banais, como a raiva (que deixa os contaminados agressivos e espumando pela boca, por exemplo). Mas o consenso hoje é que se trata muito mais de uma questão de cultura e mitologia do que de uma ocorrência que poderia ser estudada nos consultórios médicos. No fim das contas, nem todo o nosso conhecimento moderno serve para explicar tudo em que acreditamos.

Mas o mito do lobisomem não se propagou no vácuo. As histórias contadas no passado sempre têm um contexto social. No caso dos lobisomens (e das bruxas também, como veremos), é sempre um mesmo perfil de pessoa que acaba sendo acusado pelos ataques. Na maior parte das histórias "reais" que sobrevivem até hoje — nos julgamentos de gente como Jacques Roulet e Gilles Garnier —, é o mesmo tipo de pessoa que acaba perseguido por licantropia. Os lobisomens "reais" eram sempre as pessoas mais frágeis da sociedade ou aquelas que podiam causar algum incômodo nos pequenos vilarejos do interior: moradores de rua, sem-teto, pessoas com deficiência, órfãos, viúvos.

Sem lar nem bens, restavam a eles poucas opções para sobreviver — às vezes tinham mesmo de roubar ou matar para comer. Como não estavam inseridos na sociedade, muitas vezes agiam fora dos padrões de comportamento considerados desejados. Moravam nas ruas, xingavam os outros, atacavam pessoas, faziam suas necessidades na frente de todo mundo. Não faltavam pessoas assim nos séculos passados (ou no nosso), principalmente durante momentos de fome ou pobreza generalizada.

Na França, por volta de 1780, havia milhões de destituídos que vagavam pelo país em busca de comida e dinheiro. Eles roubavam animais que ficassem soltos, tiravam leite de vacas que estivessem mal vigiadas, furtavam roupas dos varais e levavam qualquer tipo de bem em que pudessem pôr a mão. Lobisomens e bruxas, no fim, eram todos aqueles que não se enquadravam nas regras do jogo. Quando se difundem histórias de terror sobre essas pessoas, já se cria também uma maneira de se livrar delas.

Os contos de antigamente nunca podem ser ouvidos ou lidos fora do contexto em que foram contados — eles são fruto do tempo e da maneira como as pessoas pensavam. Se na versão mais macabra de *Chapeuzinho Vermelho* o vilão era um lobisomem, isso se deve ao fato de que na época a crença nesses seres fantásticos estava bem arraigada. Se Charles Perrault deixou no final de seu conto uma mensagem para que as meninas fossem bem-comportadas, foi porque, para ele, esse era o tipo de conduta adequado a ser ensinado às mulheres de sua época. E, se os irmãos Grimm deram um final feliz à sua menininha de gorro vermelho, foi porque eles viam vantagem nisso. Queriam que sua história pudesse ser contada e vendida para o maior número possível de pessoas. O que resta nesse imenso jogo de interesses e na trajetória de uma das histórias mais famosas da humanidade é um relato de uma inofensiva menina que é atacada por um terrível monstro. O que, considerando as desabitadas e perigosas florestas dos séculos passados, não é lá muito difícil de acreditar.

# Capítulo III

## OS IRMÃOS GRIMM, A VIOLÊNCIA E OS PIORES CONTOS DO MUNDO

*"Imaginação é mais importante que conhecimento.
O conhecimento é limitado. A imaginação envolve o mundo."*

Albert Einstein, *The Saturday Evening Post*, 1929

Quem diz que gostaria de ter uma vida "de conto de fadas" ou descreve a pessoa amada como um "príncipe encantado" não sabe o que está falando. Embora tenham a fama de retratar um mundo maravilhoso, onde tudo dá certo e o bem vence o mal, os contos originais não narram histórias de felicidade. Pelo contrário, muitas vezes são repletos de tramas terríveis, cheias de violência e morte, que deixariam qualquer criança (e alguns mais crescidinhos) com medo do escuro. Antes de serem adaptadas para o gosto infantil, nos séculos XVIII e XIX, as histórias eram coisa de adulto e, como tais, não costumavam ser redentoras ou educativas. Foi apenas com o passar das edições que as narrativas foram se tornando inofensivas — para os olhos inocentes das crianças e para aumentar as vendas de exemplares.

Mas vamos com calma.

Para entender melhor de onde os contos surgiram, como ficaram da maneira que você os conhece e por que se tornaram tão conhecidos, é bom apreciá-los sem retoques. Você vai ler agora dois textos extraídos da coletânea *Contos maravilhosos infantis e domésticos*, dos irmãos Wilhelm e Jacob Grimm, os mais conhecidos autores de contos de fadas do mundo. O primeiro narra uma sequência de assassinatos e suicídios de uma família; e o segundo, se fosse escrito hoje, poderia ser descrito como uma história de vingança e zumbis.

### Quando crianças brincam de açougueiro

Certa vez, os filhos viram o pai matando um porco. Quando eles foram brincar à tarde, uma criança disse à outra: "Agora você é o porquinho e eu sou o açougueiro". Assim, ela pegou uma faca e a enfiou na garganta do irmãozinho. A mãe, que estava no andar de cima e dava banho no caçula, correu para baixo ao ouvir o grito do filho. Quando viu o que havia acontecido, puxou a faca da garganta do filho e, no meio de sua raiva, a enfiou no coração da outra criança, a que fora antes o açougueiro. Então ela correu para cima para ver o bebê na banheira, mas ele tinha se afogado. Ela entrou em desespero e se encheu de medo de jamais se consolar da tristeza, e acabou se enforcando. O pai, quando chegou do campo e viu tudo o que havia acontecido, morreu logo em seguida.[12]

### A criança teimosa

Era uma vez uma criança tão teimosa que nunca fazia o que a mãe pedia. Por isso, Deus não cuidou dela direito e fez com que adoecesse. Nenhum médico conseguiu ajudá-la e em pouco tempo ela estava em seu leito de morte. Depois de ser enterrada e coberta de terra, um braço da criança de repente irrompeu do chão e se esticou ao alto. E toda vez que enterravam o braço de volta e o cobriam de terra, ele se esticava para o alto de novo. Então a própria mãe teve de ir à sepultura e bater com o pauzinho no braço da criança. Assim que ela o fez, o braço se retraiu e a criança encontrou descanso debaixo da terra.[13]

Essas duas histórias são apenas algumas das incontáveis narrativas de gosto duvidoso que hoje chamamos de contos infantis. Na coleção dos irmãos Grimm, há dezenas desse tipo. O que pouca gente sabe é que a maior parte dos enredos tem tudo *menos* um final de contos de fadas. Na verdade, se voltarmos para a época em que essas histórias começaram a ser coletadas, ou até mesmo antes, veremos que nem sequer eram contadas para crianças. Contos de fadas eram coisa de gente grande.

A melhor comparação aqui é com o cinema e a internet. Na falta de outro tipo de entretenimento, eram os filmes de terror e as notícias policiais que distraíam a população adulta no fim do expediente. Literalmente. Como definiu o escritor John Updike, autor de *As bruxas de Eastwick*, o folclore é "a televisão e a pornografia de seus tempos, o lixo que animava a vida dos povos iletrados". Depois de longas jornadas de trabalho no campo, as pessoas ficavam ávidas por diversão. Elas se reuniam ao redor do fogo dentro de casa para comer, terminar tarefas domésticas e compartilhar histórias. De preferência, bem apimentadas e banhadas de sangue, assim como nossos best-sellers e blockbusters. Qualquer semelhança com o fascínio atual por séries de *true crime* ou por podcasts que destrincham a vida de *serial killers* não é mera coincidência. Há um certo alívio perverso em ouvir histórias de morte e violência que acabaram com a vida de estranhos de dentro da segurança do nosso lar — que o digam seriados como *Dahmer*, da Netflix, os clássicos do cinema como *O massacre da serra elétrica* ou programas de TV como *Cidade Alerta*, da Record.

No concorridíssimo ranking dos Piores Contos de Fadas do Universo, o mais assustador talvez seja *O pé de zimbro*. É a história de um casal que se ama muito e deseja avidamente ter filhos. Mas, quando o momento chega, a mãe morre ao dar à luz o filho. Desconsolado e sozinho, o viúvo enterra a mulher sob o pé de zimbro (um tipo de árvore conífera) do jardim e se casa de novo.

A nova esposa é uma espécie de anjo das trevas. Como toda madrasta do folclore, ela odeia o filho do primeiro casamento do marido. Certo dia, ela manda o menino pegar uma maçã no baú e, assim que ele se inclina para apanhá-la, a madrasta fecha a tampa do móvel sobre o enteado e o decapita. Com medo de ser descoberta pelo marido, ela pega o corpo do menino, coloca-o sentado em uma cadeira, equilibra a cabeça e lhe enrola um pano ao redor do pescoço para esconder o corte. Quando a irmãzinha, filha da madrasta, chega em casa e estranha a cara pálida do irmão, a mãe diz para acordá-lo com um tapa na orelha. A menina obedece e a cabeça sai rolando pelo chão. "Marlene, o que você fez?", grita a mãe, cínica. Como se fosse a coisa mais normal do mundo, para se livrar do cadáver, a mulher faz dele um caprichado ensopado para servir no jantar. A menina chora muito, muito mesmo, e tantas são as lágrimas que escorrem para dentro da panela que o prato nem precisa de sal.

No final do dia, o pai volta para casa e estranha a ausência do filho, mas come a iguaria do jantar e se delicia com ela. "Me sirvam mais e não deixem nada para vocês, essa comida é todinha para mim", diz, enquanto se lambuza e joga os ossinhos do filho para baixo da mesa.

A pequena Marlene, ainda inconsolável por ter matado o irmão, recolhe os restos mortais e os enterra debaixo do pé de zimbro. O menino então se transforma em um pássaro, que sai pela vida cantando:

"Minha mãe me matou
Meu pai me comeu
Minha irmã meus ossinhos enterrou 〖...〗
Piu, piu, que lindo pássaro eu sou."

A história até tem um final feliz, na medida em que um final com a madrasta sendo esmagada por uma imensa pedra e o menino sendo ressuscitado pode ser chamado de feliz. Mas é difícil digeri-lo com nossos olhos modernos.

O sexo também bate ponto nos contos. Em *La vecchia scorticata* 〖A velha esfolada〗, de Giambattista Basile, um príncipe se encanta por uma vizinha que mora atrás do muro e que ele nunca viu. A paixão é tanta que ele implora que ela venha se deitar com ele. O que ele não sabia é que a mulher era idosa, e não jovem como ele imaginava. A vizinha aceita a proposta indecorosa, desde que ele não acenda nenhuma luz. A cena de sexo que se segue é explícita. O príncipe descobre que a amada é uma septuagenária pelo tato: as nádegas eram descarnadas, os peitos murchos como bexigas, além de peludos, e as axilas cheiravam a azedo (essa é a descrição do livro). Sentindo-se enganado, o príncipe joga a velha pela janela e, ao cair, ela se transforma em uma jovem e linda donzela.

Quem também fazia sexo era Rapunzel. Diferentemente da versão contemporânea do filme *Enrolados*, da Disney, a mocinha dos irmãos Grimm não era pura e inocente. Ela e o jovem rei viviam em "prazer e alegria" desde a primeira vez que o rapaz a visitara no alto da torre. Tanto que Rapunzel acaba engravidando ainda adolescente. "Por que as minhas roupas estão tão justas? Elas não cabem mais em mim!", pergunta a inocente moça para a bruxa que a aprisiona. "Sua criança desalmada!", responde a bruxa, entendendo o que a menina tinha feito e cortando-lhe o cabelo. O detalhe picante da vida de Rapunzel apareceu apenas na primeira versão do livro dos irmãos Grimm, a de 1812, mas estava lá. Sinal de que os leitores, assim como os personagens, não podiam ser tão inocentes assim.

No começo dos tempos modernos, contos de fadas eram diversão adulta. E, desde que o ser humano é humano, adultos gostam de ouvir casos de desgraça, reviravoltas sanguinolentas e um pouquinho de sacanagem. Isso vale para as notícias mais clicadas em qualquer portal de internet, mas também para os contos de fadas.

Dá para entender como os contos acabaram ficando do jeito que ficaram a partir da maneira como eram contados. Como ninguém sabia ler ou escrever, só eram passados adiante os enredos mais curtos e simples, facilmente decorados por qualquer pessoa. Isso explica por que os contos trazem tantas repetições: "Para que esses olhos tão grandes, vovó? Para que essa orelha tão grande? Para que essa boca tão grande?", por exemplo. Era uma maneira de assegurar que o ouvinte memorizasse passo a passo a narrativa.

Geralmente, as histórias eram contadas entre homens e mulheres durante as tarefas do lar ou depois do trabalho na lavoura. Noël du Fail, um escritor francês do século XVI, relata como eram os fins de dia para os camponeses da Bretanha. Todas as noites, depois do jantar, os pais se reuniam com a família para contar fábulas ou contos populares. Não havia livros, até porque ninguém sabia ler, e nem mesmo nesses momentos de descontração o trabalho parava: o pai remendava sapatos, a mãe costurava, enquanto os filhos ficavam em um canto cortando tecido. Como ninguém é de ferro, os contos eram acompanhados de vinho e petiscos.

Foi graças às classes mais baixas que as narrativas chegaram também à elite: por meio dos empregados que trabalhavam nas casas da nobreza, especialmente babás e amas de leite, que cuidavam dos filhos dos mais abastados. Elas influenciavam o imaginário da gente aristocrática e distraíam os pequenos com histórias ouvidas em suas infâncias. Tanto os irmãos Grimm quanto Charles Perrault, três dos mais famosos escritores de contos de fadas, beberam dessa fonte — camponeses franceses — para produzir suas obras.

Entre as mulheres, era comum que as histórias fossem contadas ao redor da roca de fiar. Esse hábito também surgiu na Idade Média e chegou ao Antigo Regime francês, entre os séculos XVI e XVII. Cabia a elas fazer os bens de tecidos necessários à vida, dos que cobriam o corpo, como roupas e mantas, aos que decoravam as casas, como tapeçarias. Mulheres prendadas sabiam fiar e bordar e, como essas atividades ocupavam boa parte do dia, costumavam ser acompanhadas por muita contação de história. Esse ambiente preencheu os contos de fadas de referências ao mundo feminino: princesas, bruxas, órfãs abandonadas. Os contos com protagonistas femininos, como *Cinderela*, *A Bela Adormecida* e *Branca de Neve*, são bem mais conhecidos atualmente do que os com protagonistas masculinos, como *João e o pé de feijão* ou *O pequeno Polegar*. Até hoje, aliás, as narrativas ainda são chamadas de "coisa de menina".

Foi a partir dos encontros para produzir tecidos que nasceram tantas histórias com referência a rocas de fiar. A mais famosa delas é *A Bela Adormecida*, é claro, com a princesa que espeta o dedo em uma agulha e dorme por cem anos. Outra bastante popular é *Rumpelstilzchen* [[O anão saltador]], na qual a futura princesa é condenada a fiar um quarto inteiro de palha e transformá-lo em ouro em apenas uma noite. Há também as quase desconhecidas, como *O rei e o leão*, na qual um rei decide colocar à prova os doze caçadores que acabou de contratar porque havia a suspeita de que fossem na verdade mulheres. Para provar que eram homens, o monarca enche uma das salas do castelo de rocas de fiar. A lógica dele era a seguinte: se fossem mulheres, elas não se conteriam de alegria ao ver as rocas e entregariam o disfarce. (No fim, os caçadores eram mesmo mulheres, mas elas não se empolgaram muito com os instrumentos.)

A noção de que contos populares eram coisa de gente grande foi deixando de ter sentido à medida que o mundo mudava. Lentamente, os ambientes propícios para a contação de histórias começaram a desaparecer: o campo foi trocado pela fábrica e máquinas de tecelagem substituíram as mulheres fiandeiras. Já não havia clima para conversas sobre príncipes e princesas. Como definiu o filósofo Walter Benjamin, "*storytelling* é sempre a arte de repetir histórias, e essa arte é perdida quando as histórias não são mais preservadas. Ela é perdida porque não há mais tecidos a fiar e tear enquanto as histórias estão sendo contadas".[14] Pessoas de todos os níveis sociais aprenderam a ler e os livros se popularizaram, tornando as narrativas orais menos importantes.

A própria vida no campo foi ficando cada vez mais rara: as cidades não paravam de crescer e foi para lá que as famílias do Antigo Regime se mudaram em busca de trabalho. As camadas mais pobres começaram a ter acesso a um pouco mais de dinheiro e a muito mais opções de diversão. O entretenimento agora era ir à feira, à igreja, a cafés e a festas: coisas mil vezes mais emocionantes do que qualquer conto de fadas. As histórias, antes tão chocantes, deixaram de ser interessantes para os adultos dos tempos modernos. Assim, quando pararam de ter apelo para os mais velhos — afinal, o conjunto de crenças também mudara longe do ambiente rural e ninguém mais acreditava em bruxas ou animais falantes —, os contos de fadas acabaram relegados a coisa de criancinha. Como disse J.R.R. Tolkien, o autor de *O senhor dos anéis*, os contos de fadas chegaram à infância "como móveis antiquados e fora de moda acabam indo parar nos quartos de criança, porque os adultos não os querem mais e não se importam se forem destruídos".[15] Destruídos os contos não foram. Mas perderam grande parte de seu tempero inicial. Despediram-se, principalmente, dos elementos assustadores.

E boa parte da culpa é dos irmãos Grimm. De um dos irmãos, pelo menos.

## GRIMM: TIM-TIM POR TIM-TIM

Jacob e Wilhelm Grimm eram incansáveis colecionadores de contos. Nasceram em 1785 e 1786, respectivamente, em Hanau, na Alemanha, em uma família que não passava necessidades: o pai era o magistrado da cidade e sustentava a mulher e seus seis filhos com conforto. Certo dia de 1796, no meio de um inverno terrível, o pai pegou uma pneumonia e morreu. Órfãos, tal qual num conto de fadas, os dois filhos mais velhos foram os escolhidos para sustentar a família. Recém-empobrecidos, Jacob e Wilhelm foram os únicos que puderam estudar. Juntos, decidiram recolher todo tipo de história popular para compilar um grande livro definitivo dos contos folclóricos alemães — uma atividade que andava se tornando popular na Europa da época. A diversão dos dois Grimm era passar pelos campos da sua terra natal em busca de vilarejos parados no tempo, onde houvesse pessoas igualmente paradas no tempo que pudessem lhes contar narrativas populares e desconhecidas. Entrevistaram dezenas de senhorinhas, empregadas domésticas e amas de leite entre o final do século XVIII e o começo do XX e, dessas conversas, nasceu um dos livros mais vendidos no mundo ocidental, o *Contos maravilhosos infantis e domésticos*. Seus dois volumes reúnem quase todos os grandes contos de fadas que conhecemos hoje em dia.

Seria uma história linda, e a vida dos irmãos Grimm poderia até se parecer com um dos contos que eles tanto gostavam de escrever, se a descrição acima não fosse mentira. Sim, eles nasceram no final do século XVIII, ficaram órfãos, e seu livro vende milhões de exemplares ao redor do mundo. E, sim, eles tinham a intenção de juntar as histórias infantis mais típicas que pudessem encontrar. Até os anos 1970, aliás, acreditava-se que eles de fato haviam colhido todos os contos a partir de fontes originais. Mas hoje em dia sabe-se que Jacob e Wilhelm tiveram vidas muito menos aventureiras e emocionantes do que a maior parte de suas biografias ou filmes modernos, como *Os irmãos Grimm*, com Heath Ledger e Matt Damon, leva a acreditar.

Os Grimm não eram caçadores de aventuras ou intrépidos viajantes. Na verdade, eles não passavam de dois respeitados acadêmicos e filólogos. A maior parte de seu trabalho foi feita em salas de estudos e bibliotecas, e nenhuma das narrativas anotadas vem da memória que eles mesmos tinham de infância. Essencialmente, os Grimm eram dois burocratas que mal saíam da cidade natal — a não ser para visitar alguns amigos da família — para colecionar histórias. Quase não há registros de que eles tenham conversado com camponeses de verdade para colher os contos que ficariam famosos ao redor do mundo.

Foram os próprios irmãos Grimm que contribuíram para que suas biografias parecessem mais emocionantes do que de fato foram. Eles mesmos se apresentavam nos círculos acadêmicos como investigadores *in loco* de uma cultura popular que estava morrendo e que deveria ser resgatada a qualquer custo. Na introdução do livro original, lançado em 1812, descrevem como ouviram as histórias de uma camponesa típica. Na verdade, boa parte dos contos de fadas que conhecemos hoje foi relatada aos Grimm por suas vizinhas de frente. Ou seja, eles só atravessavam a rua.

A família Wild era formada por um casal e suas seis filhas. Todas, em algum momento, contribuíram com algum conto de fadas. Elas resgatavam as histórias que ouviram quando eram crianças e as contavam para os simpáticos vizinhos Grimm quando souberam que eles andavam coletando narrativas. (O empenho também tinha, digamos, motivações pessoais: alguns anos depois, Wilhelm acabaria casando-se com a quinta filha, Henriette Dorothea Wild, ou Dortchen.)

Outra grande colaboradora foi Dorothea Viehmann, a mulher que eles citam nominalmente na introdução como a fonte principal e que supostamente seria uma camponesa alemã. De camponesa ela tinha muito pouco. Viúva de um alfaiate, Dorothea fazia parte da restrita classe média da época — e, para sorte dos Grimm, era uma talentosa contadora de histórias. Lembrava-se de cada detalhe das narrativas que havia ouvido quando criança e não se cansava de repeti-las sempre da mesma maneira para os irmãos. Sozinha, ela passou para os Grimm quarenta contos que seriam futuramente publicados.

A terceira fonte dos irmãos foram as mulheres da família Hassenpflug, e essas, sim, não tinham absolutamente nada de "povo simples". As quatro irmãs eram da alta burguesia alemã, moravam em uma luxuosa mansão de Kassel, a cidade onde os irmãos estudavam na época, e passaram para Jacob e Wilhelm alguns dos enredos que se tornariam mais famosos, como *O Gato de Botas, A Bela Adormecida* e *Chapeuzinho Vermelho*. Ou seja, os contos de fadas mais conhecidos do mundo foram coletados em salas confortáveis, em conversas regadas a chá e biscoitos — e não no meio da floresta escura.

A outra meta de Jacob e Wilhelm, a de juntar narrativas tipicamente alemãs, também não foi alcançada. Boa parte dos contos tinha toques meio afrancesados. Isso porque tanto a família Hassenpflug quanto a Viehmann tinham origens huguenotes, os protestantes franceses que deixaram o país quando Luís XIV sancionou decretos que proibiam sua religião por lá. Os huguenotes, por sua vez, conheciam os contos de Perrault, que já faziam imenso sucesso na França. Ou seja, as histórias que Jacob e Wilhelm Grimm disseram ser "puramente alemãs, tanto no que se refere a seu surgimento como a sua expressão" (de acordo com a introdução original do livro), nada mais eram do que versões de famosas histórias francesas. Por isso que há tantas similitudes entre os contos dos irmãos Grimm e os de Perrault: *Cinderela, Chapeuzinho Vermelho* e *Mil peles*, por exemplo, aparecem nas duas coletâneas, com apenas alguns detalhes alterados.

Na verdade, os Grimm sabiam que estavam anotando relatos que já eram contados em outras culturas. Eles haviam lido Perrault e perceberam as similaridades existentes entre eles — tanto que *O Gato de Botas* não foi incluído em algumas edições dos alemães por julgarem que a história já era conhecida demais.

Mas, como acontece com tudo o que envolve a origem dos contos de fadas, é preciso voltar ainda mais no tempo para entender de onde eles surgiram. Histórias folclóricas dificilmente surgem do nada — elas costumam ser carregadas nas bocas de dezenas de contadores, atravessando os séculos e as fronteiras geográficas. As narrativas dos Grimm têm origens muito mais antigas do que as dos contos de Perrault. Outra forte influência sofrida pelos alemães foram as obras de Giambattista Basile e Gianfrancesco Straparola, os primeiros europeus que, ainda nos séculos XV a XVII, compilaram contos italianos.

Quando começaram a ouvir as narrativas contadas por suas fontes, Jacob e Wilhelm, que eram ávidos estudiosos do folclore europeu, logo perceberam a recorrência dos temas. Nada menos que trinta contos dos Grimm já tinham sido anotados por Basile.

Os contos dos irmãos Grimm também tinham influência do Oriente e do sul da Ásia. A obra mais famosa da literatura árabe na época, *As mil e uma noites*, àquela altura já havia chegado à Europa em uma tradução para o francês terminada em 1704. O livro continha algumas das narrativas mais famosas do continente asiático — incluindo histórias indianas e persas do século VIII — e acabou deixando suas marcas no folclore europeu. Os Grimm constataram que oito dos contos que eles registraram tinham equivalentes árabes antiquíssimos. (O mais famoso deles é *O pescador e sua mulher*, que narra a história de um homem casado com uma mulher muito ambiciosa. Quando o marido pesca um linguado encantado, ela exige dele desejos cada vez mais megalomaníacos: primeiro um chalé, depois um palácio, depois a realeza, depois o papado — até que o peixe se enche de tantos pedidos descabidos e devolve o casal para a pobreza de onde havia saído.)

Ainda assim, os Grimm insistiam em afirmar que estavam juntando a essência da cultura popular alemã. E isso tinha motivação política. Na época em que trabalhavam na coleção, boa parte dos territórios alemães estava ocupada por tropas napoleônicas. Os irmãos resolveram fazer do livro deles um símbolo da resistência germânica e da sobrevivência da cultura tradicional alemã, mesmo sob o domínio dos vizinhos. Acontece que essa era uma empreitada impraticável. Não era possível separar as duas culturas, principalmente em uma época em que os Estados modernos ainda não estavam definidos. Para quem ouve e conta histórias, pouco importa se elas são alemãs, francesas, italianas ou árabes.

A contradição seguiu firme até o século XX, quando os propagandistas nazistas também resolveram usar os contos de fadas dos irmãos Grimm como um produto genuinamente germânico, a expressão da mais fina cultura teutônica. Para os nazistas, havia qualidades alemãs virtuosas nas histórias, o que seria útil para os planos de dominação mundial: os heróis aventureiros, a superioridade racial dos príncipes e princesas (que seria equivalente à superioridade ariana), as mulheres férteis, cheias de filhos e prendadas para as coisas do lar. Mal sabiam eles que de alemãs as histórias tinham muito pouco e que vinham de povos que eles consideravam inferiores.

## PEQUENOS EDITORES, GRANDES NEGÓCIOS

Mais fantasiosa ainda é a lenda que Jacob e Wilhelm inventaram sobre a autenticidade de seus contos. "Nenhuma circunstância foi acrescentada, melhorada ou mudada, pois teríamos ressalvas em aumentar sagas por si só tão ricas",[16] dizem eles na introdução dos *Contos maravilhosos infantis e domésticos*. "Ah, tá", dizem os estudiosos. Hoje sabe-se que todos os contos passaram por diversas edições ainda durante a vida dos Grimm, que supervisionaram nada menos que sete versões de seus livros. Principalmente Wilhelm, o mais obcecado em melhorar e adaptar os textos para o público infantil, mexeu em cada uma das histórias incansavelmente. As mudanças foram significativas e são muito importantes para entender os contos que conhecemos atualmente e suas origens sombrias. Basta comparar o manuscrito de 1810 com a versão de 1857, a última edição publicada quando os dois irmãos ainda eram vivos. Fica bem claro que o estilo do texto — cheio de adjetivos e detalhes mágicos, popular até hoje em dia — é invenção dos alemães. Veja o que eles fizeram com *Branca de Neve*.

### 1810
Era uma vez inverno, e neve caía do céu, e uma rainha costurava sentada na janela de ébano. Ela queria muito ter uma criança. Enquanto pensava nisso, espetou o dedo com a agulha e algumas gotas de sangue caíram na neve. Então, ela desejou: "Ah, se eu tivesse uma criança tão branca quanto esta neve, com as faces tão vermelhas como este sangue e o cabelo tão preto quanto esta

janela". Logo em seguida, ela teve uma filhinha linda, tão branca quanto a neve, tão vermelha como sangue e tão preta quanto ébano, e deram a ela o nome de Branca de Neve. A rainha era a mulher mais linda de toda a terra, mas Branca de Neve era cem mil vezes mais bonita, e quando a rainha perguntava ao seu espelho: "Espelho, espelho meu, quem é a mais bela da terra dos anjos?", o espelho respondia: "A senhora rainha é a mais bonita, mas Branca de Neve é cem mil vezes mais bonita". A senhora rainha não podia suportar isso, porque ela queria ser a mais linda do reino.[17]

Agora compare com a versão de quase cinquenta anos depois:

### 1857

Era uma vez, no meio do inverno, flocos de neve que caíam como penas do céu, e uma bela rainha costurava perto de uma janela que tinha molduras de ébano preto. Enquanto costurava, ergueu o rosto para observar a neve, espetou o dedo na agulha e três gotas de sangue caíram na neve. E como o vermelho no branco lhe pareceu tão bonito, ela pensou: "Quem me dera ter uma criança tão branca quanto a neve, tão vermelha como sangue e tão preta quanto esta moldura". E logo em seguida ela teve uma filhinha, branca como a neve, vermelha como sangue e com o cabelo preto como ébano, que recebeu o nome de Branca de Neve. E assim que a criança nasceu, a rainha morreu. Um ano depois, o rei se casou novamente. Ela era uma mulher bonita, mas orgulhosa e convencida, e não podia suportar ser superada em beleza por ninguém. A rainha era a mais linda de toda a terra, e tinha muito orgulho de sua beleza. Ela também tinha um espelho mágico e, quando ela se olhava, dizia: "Espelho, espelho meu, existe alguém mais bela do que eu?". E o espelho respondia: "A senhora, rainha, é a mais bela mulher do reino". Então ela ficava satisfeita porque sabia que o espelho falava a verdade. Mas Branca de Neve foi crescendo e, quando completou sete anos, se tornou tão bonita quanto o dia, superou até mesmo a rainha em beleza. E quando a rainha certa vez perguntou: "Espelho, espelho meu, existe alguém mais bela do que eu?", o espelho respondeu: "A senhora, rainha, é a mais bela aqui, mas Branca de Neve é mil vezes mais bonita". Então a rainha se assustou e ficou amarela e verde de inveja. A partir daquele momento, toda vez que ela olhava para Branca de Neve, seu coração se contorcia de tanta raiva que sentia da menina. E a inveja e a arrogância cresceram como erva daninha em seu coração que ela nunca mais encontrou descanso.[18]

Está na cara que a segunda versão exigiu um trabalho estilístico e um talento criativo que a primeira dispensara: o texto é mais rebuscado, com descrições e adjetivos que antes não existiam. (Os alemães também trocaram a figura da mãe invejosa por uma madrasta má, mas isso é assunto para outro capítulo.) Também já traz as repetições que se tornaram características dos contos de fadas. Além disso, ajuda a criar o mundo de fantasia, com os detalhes encantados e o espelho falante que todos conhecemos. Criar um estilo tão peculiar como esse não é pouca coisa — talvez seja a maior contribuição dos irmãos Grimm para a cultura mundial. No fim das contas, foram eles que inventaram o estilo que tanto relacionamos aos contos de fadas. Ao longo da vida, Wilhelm Grimm nunca se cansou de reescrever as narrativas. Enquanto o irmão Jacob partia para outras empreitadas literárias e outros empregos, Wilhelm sempre voltava às histórias com zelo e afinco.

Todas essas alterações foram feitas depois que o primeiro livro foi lançado, quando os autores perceberam que os contos tinham imenso potencial de venda para crianças. A ideia original não era criar uma obra infantil, mas, sim, registrar o folclore popular. Tanto que a primeira edição foi acompanhada de uma introdução acadêmica voltada para estudiosos. O que eles não esperavam era que ela se esgotasse em três anos. Todos os novecentos exemplares foram vendidos — um feito raro para a época — e os irmãos notaram que haviam tocado em uma encantada mina de ouro. Assim que se deram conta de que as crianças eram as mais atraídas pelos contos, não hesitaram: tiraram o ranço acadêmico e adaptaram a obra para os ouvidos infantis.

Wilhelm, o mais conservador dos dois, começou a limpar as narrativas de qualquer menção a sexo ou detalhe que pudesse chocar os pequenos leitores. Qualquer detalhe mesmo. Assim, Rapunzel deixou de engravidar e a princesa de *O rei sapo* não foi mais para a cama com o anfíbio: na primeira versão, quando o bicho é jogado contra a parede e se transforma em humano, ele cai precisamente sobre a cama da donzela, já dando a entender o que aconteceria em seguida. Nas versões seguintes, a minúcia é omitida. E um conto chamado *João Bobo* foi completamente eliminado da coletânea, pois o personagem principal tinha a incrível habilidade de engravidar moças a distância — e fez isso com uma incauta princesa. Wilhelm não queria saber dessas indecências.

Mas os irmãos Grimm não foram os únicos que reescreveram os contos para adaptá-los aos ouvidos pueris. O século XIX viu florescer na Europa um lucrativo mercado de histórias escritas para o público infantil. O conto *Cachinhos Dourados*, por exemplo, que não é dos alemães, também ficou irreconhecível depois que o autor, Robert Southey, decidiu torná-lo mais infantil. Se nas primeiras versões a protagonista era uma velhota mal-educada e folgada chamada Cabelos Prateados, na variante que conhecemos hoje ela se transformou em uma adorável menina de — evidentemente — cachinhos dourados. Os três ursos da narrativa não eram uma família: nada de papai urso, mamãe urso e filhinho urso. Em vez disso, eram três animais adultos, cultos e amáveis. A história, baseada no folclore oral inglês, originalmente servia de lição de moral para mulheres que deveriam aprender a se comportar e a não invadir o espaço dos homens. Acabou virando mais uma narrativa para crianças. Fica claro que é bobagem falar que os contos de fadas refletem a típica voz do povo. É muito mais justo dizer que eles são fruto do trabalho incansável — e da adaptação e da censura — de alguns talentosos contadores de histórias. Wilhelm Grimm não foi o único deles. O mais famoso editor de histórias foi Walter Elias Disney. Walt foi o responsável por deixar as histórias da maneira como as conhecemos hoje. Perto de Disney, Wilhelm Grimm era um rapaz devasso. Quem realmente higienizou os contos de fadas e tirou todo resquício de violência ou sordidez não foram os alemães — foi o pai do Mickey Mouse.

Disney era obcecado por contos de fadas desde criança. Assim que começou a fazer desenhos animados e pequenos filmes, optou pelas histórias infantis para escrever seus roteiros. Filmou *O Gato de Botas*, *Os três porquinhos* e *Os músicos de Bremen* antes mesmo de sonhar com *Branca de Neve*, o primeiro longa-metragem de animação da história e o responsável por consagrar o diretor para sempre. Disney não media esforços para deixar os contos o mais incautos possível para crianças, além de consumíveis por qualquer tipo de público. As ilustrações são coloridas e redondinhas, as mocinhas, lindas e extremamente bem-comportadas, enquanto esperam pelo amor dos príncipes muito encantados, e qualquer cena minimamente violenta era cortada. O trabalho de edição foi tão bem-feito que, hoje, as versões mais conhecidas das histórias são as de Disney, e não de Perrault, Grimm ou Andersen.

Depois das obras do estadunidense, é difícil encontrar alguém que saiba que, nas histórias dos séculos passados, as irmãs malvadas de Cinderela mutilavam os próprios pés, ou que a Bela Adormecida foi estuprada durante o sono, ou que o castigo da mãe malvada da Branca de Neve era dançar calçada com sapatos de ferro quente até morrer, ou que a Pequena Sereia morria no final (o horror!). Walt Disney eliminou essas indecências e violências, julgando-as inapropriadas para crianças. Para ele, o mundo deveria ser puro e irretocável, pouco importando como as histórias eram contadas antes dele. Acabou criando, assim, os contos de fadas que conhecemos hoje.

## Quem tem medo do conto mau?

Mas voltemos um pouco no tempo, para quando os irmãos Grimm ainda estavam publicando seus contos. Como já vimos em algumas macabras historietas, como *Quando crianças brincam de açougueiro* ou *A criança teimosa*, os Grimm não eliminaram completamente a violência. Wilhelm era especialmente sensível a cenas sensuais, como a gravidez de Rapunzel, mas relatos de agressão, matricídios ou mutilações não eram avaliados com maus olhos.

Basta observar os castigos que ele reservava aos vilões, sempre terríveis e descritos com detalhes. Pessoas são queimadas vivas, bruxas são jogadas em barris de serpentes, partes do corpo são decepadas. Essas cenas são recorrentes e sobreviveram aos séculos sem cortes ou edições. A bruxa de *João e Maria* não vê a hora de assar as criancinhas, assim como o lobo mau se delicia com Chapeuzinho Vermelho. Há crueldade em toda parte: na maneira como as irmãs tratam a pobre da Cinderela ou na tentativa da mãe de matar a Branca de Neve. Na verdade, os irmãos Grimm, em muitas ocasiões, *aumentavam* o nível da violência descrita nas narrativas. Foi o que aconteceu em *Rumpelstilzchen*.

A história começa com uma menina que, a mando de um rei, precisa fiar um quarto inteiro de palha e transformá-lo em ouro. Desesperada e sem saber o que fazer, ela aceita a ajuda de um misterioso homenzinho monstruoso chamado Rumpelstilzchen. O anãozinho transforma toda a palha em ouro, mas exige que, em troca, a menina lhe entregue o primeiro filho que ela tiver. A moça aceita a condição. Ela se casa com o rei e engravida. Assim que dá à luz um menino, aparece o homenzinho para cobrar a dívida. A princesa fica desesperada e não quer entregar o filho, então Rumpelstilzchen concorda que ela fique com o bebê desde que adivinhe o nome dele. Depois de alguns desafios, ela descobre o nome impronunciável do homenzinho e evita que ele leve o filho.

A forma como Rumpelstilzchen encara a derrota é diferente a cada versão do conto anotada pelos irmãos Grimm.

### Manuscrito de 1810

Assim que o homenzinho ouviu isso ⟦seu nome⟧, se assustou e disse: "Só podè ter sido o diabo que te contou". Então, ele subiu na colher de pau e saiu voando pela janela.

**Primeira edição, de 1812**

"Foi o diabo que te contou!", gritou o homenzinho e saiu andando furioso, e não voltou nunca mais.

**Segunda edição, de 1819**

"Foi o diabo que te contou! Foi o diabo que te contou!", gritou o homenzinho e pisou furioso com o pé direito no chão com tanta força que afundou até o tronco. Então, pegou, com mais raiva ainda, o pé esquerdo com as duas mãos e se rasgou no meio.[19]

Se antes Rumpelstilzchen apenas saía voando pela janela, nas versões seguintes ele acabou estraçalhado em mil pedaços. O esquartejamento foi invenção dos Grimm. Isso aconteceu também em diversos outros contos, a que se juntaram descrições mais vívidas de violência e de morte. Curiosamente, os autores capricharam na agressividade justamente para que as histórias fossem mais atrativas entre crianças. Não são apenas os contos de fadas que seguem essa regra: o folclore, de modo geral, é um dos produtos mais sanguinários ainda lidos para os pequenos. Há estudos que avaliam a incidência de violência no entretenimento dirigido à criança e que comprovam isso. Segundo um deles, os programas de TV infantis modernos contêm em média cinco cenas de violência por hora: por exemplo, o coiote caindo do desfiladeiro enquanto tenta caçar o Papa-Léguas ou a Mônica socando o Cebolinha até o menino ficar com olho roxo. Ainda assim, essas brutalidades contemporâneas são fichinha perto de histórias mais tradicionais. As *nursery rhymes*, por exemplo, pequenos poemas infantis ingleses, igualmente originados na cultura popular dos séculos XVIII e XIX, contêm 52 cenas de violência por trecho. Eis um exemplo adorável:

Havia uma velha senhora que tinha três filhos: Jerry, James e John.
Jerry foi enforcado, James se afogou,
John se perdeu e não foi nunca encontrado,
E esse foi o fim dos três filhos, Jerry e James e John.[20]

No fundo, as mensagens não são muito diferentes das cantigas populares brasileiras, como a do boi da cara preta que quer levar a menina que tem medo de careta, ou a da Samba Lelê que estava doente com a cabeça quebrada e ainda assim merecia umas boas palmadas. No mundo inteiro, não havia preocupação em dourar a pílula para as crianças.

Isso não quer dizer que você deve jogar fora aquele seu exemplar dos contos dos Grimm para não traumatizar seu filho. O clima fantasioso das histórias permite que se narrem situações violentas sem que elas pareçam tão assustadoras assim — afinal, se um príncipe maravilhoso pode passar a vida escondido no corpo de uma fera aterrorizante, como em *A Bela e a Fera*, o fato de um anãozinho se rasgar no meio de raiva não parece tão terrível assim. É como se crianças tirassem umas férias da verossimilhança para entrar no mundo encantado dos contos de fadas (ou dos desenhos animados, do teatro infantil e por aí vai).

Outro aspecto a se considerar é o apelo que justamente essas cenas medonhas têm em qualquer pessoa. Os contos são violentos porque refletem a própria natureza humana. Não há como negar o fato de que gostamos de ouvir histórias assustadoras: basta ligar a TV em qualquer canal no fim de tarde ou observar a lista de blockbusters do ano passado. Poucas coisas são mais mórbidas do que a moda recente de *true crime*, em que são recriados assassinatos em série, sequestros de pessoas, feminicídios. Seres humanos bem que gostam de violência (contra os outros).

Folclore sangrento existe em qualquer lugar do mundo. Vejamos a lenda da mula sem cabeça aqui no Brasil. Há duas versões do mito: uma delas diz que a mula é qualquer mulher que tenha, ou sonhe em ter, relações sexuais com um padre. Como castigo pelos pensamentos pecaminosos, ela seria transformada em uma mula que cospe fogo pelo buraco onde ficava a cabeça. A segunda versão, dos tempos em que a lenda ainda era contada na península Ibérica, reza que uma rainha dos tempos passados tinha a mania de ir toda noite a um cemitério perto do castelo onde morava. Certa vez, o rei a seguiu para ver o que tanto a mulher ia fazer por lá e a flagrou comendo um cadáver diretamente de um túmulo. Como castigo, ela virou a mula sem cabeça.

O mesmo tipo de violência pode ser encontrado em mitologias: das lendas gregas, em que Édipo fura os próprios olhos depois de descobrir que havia se casado com a própria mãe, aos mitos hindus, em que o espírito Rakshasa se alimenta de carne humana. É tudo história que se contava oralmente. E é tudo muito violento.

"Quanto mais espinhenta é a situação para a personagem, mais gostamos de ouvir sua história",[21] escreve Jonathan Gottschall, pesquisador de *storytelling*, que estudou a importância da ficção na vida das pessoas no livro *The Storytelling Animal: Why Stories Make Us Human* [O animal contador de histórias: por que as histórias nos tornam humanos]. Crianças não são diferentes. Elas gostam de ouvir narrativas que contenham algum tipo de dificuldade ou problema a ser enfrentado.

Isso fica evidente no faz de conta que elas mesmas criam. Um estudo citado no livro *Becoming a Reader* [Tornando-se um leitor], do pesquisador J. A. Appleyard, analisou o conteúdo de 360 historinhas inventadas por crianças de dois a cinco anos. A maior parte delas era repleta de violência, com direito a "agressão, mutilação, morte, abandono, separação e rivalidade entre irmãos".[22] Nas histórias contadas pelas próprias crianças, elas se perdiam dos pais para sempre, trens passavam por cima de cachorrinhos, um menino matava a mãe e o pai com arco e flecha, um coelhinho botava fogo em uma casa... Todos esses exemplos são enredos inventados por crianças. Se você conviver com um ser humano de pouca idade, vai perceber que as narrativas que ele inventa não são muito diferentes.

O gosto pelo macabro faz parte da nossa biologia. A explicação pode ser evolutiva. Quando uma criança ouve ou conta uma história, ela mergulha no mundo da fantasia. Em vez de ir para a floresta enfrentar lobos e bruxas, a criança antes simula o perigo dentro da cabeça, mas ainda na segurança da sua casa. Segundo essas teorias, seria algo parecido com o simulador de voo usado pelos pilotos: em vez de correr o risco de se espatifar no chão, a aula é feita num ambiente seguro. No caso, uma historinha infantil. A explicação mais aceita pelos cientistas é que as narrativas servem como uma espécie de ensaio para a vida adulta — uma maneira de preparar corpos e mentes para os desafios do futuro, ao mesmo tempo que constroem sua inteligência social e emocional.

Psicólogos e psicanalistas também estudaram a violência dos contos de fadas e o fascínio que exercem sobre as crianças. As conclusões a que chegaram não são muito diferentes das teorias biológicas. Crianças adoram ouvir esse tipo de história porque se identificam com ela. Bruno Bettelheim, que escreveu a mais conhecida interpretação psicanalítica das historinhas, defende:

> Esta é exatamente a mensagem que os contos de fadas passam de diversas maneiras para a criança: que a luta contra as grandes dificuldades da vida é inevitável, que é uma parte intrínseca da existência humana — mas que, se ela não desistir, mas enfrentar de frente os problemas inesperados e tantas vezes injustos, vai superar todos os obstáculos e sair vitoriosa.[23]

Para ele, os contos antigos são melhores do que os produtos modernos para crianças, que eliminaram as dificuldades dos enredos. Ou seja, para ajudar no desenvolvimento infantil, um pouquinho de violência na fantasia não faz mal.

## PRINCESA É A VOVOZINHA

Mas, é bom lembrar, nem tudo nos contos de fadas faz bem para a cabeça de criancinhas. Poucos produtos infantis passam mensagens tão negativas para as mulheres quanto os contos populares dos séculos passados. O recado das narrativas é claro: para que uma menina se realize ou para que seja alguém de valor, ela precisa encontrar seu príncipe encantado. E, mais do que isso, precisa esperar sentadinha em seu canto até que ele apareça para salvá-la. Não há heroínas femininas ativas, que derrotam o inimigo graças a coragem ou perspicácia.

Há apenas Cinderelas, que esperam que o príncipe encantado as encontre em casa, ou Belas Adormecidas e Brancas de Neve, que ficam literalmente desacordadas até que um completo desconhecido as beije na boca, sem consentimento, e se torne seu herói. As qualidades mais atribuídas às princesas são a beleza, a humildade, o bom comportamento e, muitas vezes, o silêncio absoluto. A lição que menininhas ao redor do mundo recebem ao ler os contos ou mesmo ao assistir às adaptações mais famosas da Disney é bem simples: seja sempre quietinha e bem-comportada, não desafie o mundo ao seu redor. Os contos reforçam a lição de que a coisa mais importante para uma mulher é a beleza física, e não a inteligência ou a coragem.

Mais forte ainda do que essa noção é o conceito de menina bem-sucedida dos contos de fadas. Nas histórias, para que uma mulher se realize, ela precisa se casar. A repetição dessa noção contribuiu para divulgar a ideia — ainda recorrente na sociedade — de que o maior objetivo de vida de uma mulher é um bom casamento. Não à toa, Ariel sacrifica a sua maior ferramenta de autonomia — a própria voz — em troca de passar mais tempo perto do seu amado. Outras mocinhas são prendadas: Branca de Neve limpa e organiza cada canto da casa dos sete anões antes mesmo de conhecê-los e Cinderela mantém a casa da madrasta má impecável. Apesar de sofrerem males terríveis, as heroínas também são abnegadas: aceitam seus destinos sem reclamação e se sacrificam pelos outros, como é o caso da Bela, de *A Bela e a Fera*, que se oferece para morar com o monstro assustador no lugar do pai. O recado é claro: fique quieta, cuide da casa, abra mão da sua independência pelos outros. Aos meninos, a mensagem é um pouco melhor: saia para o mundo em busca de aventuras e você será recompensado.

Mas quem ainda entende a vida dessa forma? Basta olhar para o mundo real e ver que essas noções pararam no tempo. Da Antiguidade a meados do século XX, a divisão dos papéis dos gêneros era até parecida com a que se descrevia nos contos de fadas. Felizmente, os tempos agora são outros e mulheres podem assumir o protagonismo em suas vidas, sem precisar esperar pela salvação de um príncipe.

Hoje, a Disney é uma das grandes responsáveis por continuar enraizando o modelo de princesa para meninas mundo afora. Basta ver a quantidade de lancheiras, fantasias e álbuns de figurinhas cor-de-rosa que abarrotam as prateleiras das lojas com os rostos de Aurora, Jasmine ou Ariel. Vá a qualquer festa infantil e você verá meninas enfiadas em longos vestidos cintilantes inspirados nos filmes da Disney — no geral, fantasias desajeitadas que as impedem de correr, pular ou escalar livremente.

O bombardeio de princesinhas vai de vento em popa. Veja, por exemplo, o que a Disney fez em 2013 com uma de suas personagens femininas, a Mérida, do filme *Valente*. No longa, ela se rebela contra a ideia de que deveria se casar e ser uma boa menina; o que ela gosta de verdade é de praticar tiro ao alvo e galopar pela floresta com seu cavalo. Mas, fora das telas, para que Mérida pudesse entrar no seleto time de princesas da Disney ao lado das já consagradas Aurora e Branca de Neve e estampar os produtos licenciados com a marca, sua aparência foi alterada. A personagem, que no longa-metragem não passava de uma criança, ganhou curvas, cintura e seios, um olhar sensual, e ficou sem o arco e flecha que carregava para todo lado. O propósito era passar a imagem de uma princesa mais tradicional, como as de antigamente. Mães ao redor do mundo ficaram enfurecidas com a mudança, e a Disney voltou atrás.

Nos últimos anos, o estúdio tem se preocupado em quebrar esses estereótipos de gênero, como mostram a própria Mérida ou a Anna, de *Frozen*. Esta última, por exemplo, é a primeira que desafia a noção de que apenas o casamento importa para uma menina. No filme, levemente inspirado em um conto de Hans Christian Andersen, *A Rainha da Neve*, Anna é enfeitiçada e corre o risco de virar uma estátua de gelo. Logo, seu ajudante descobre que apenas um "ato de amor verdadeiro" poderá salvá-la, e por isso supõe que a princesa vai precisar de um beijo do amado para sobreviver. Mas não era nada disso. Quem resgatou Anna do feitiço foi sua irmã Elsa, num verdadeiro ato de amor fraternal, provando que nem só do amor de um homem vive uma princesa. Lentamente, as coisas estão mudando.

Pode parecer exagero tentar extrair grandes mensagens de personagens de desenho animado, mas não é. A influência que as princesas ainda têm sobre meninas é muito forte. Uma pesquisa feita por uma antropóloga da Universidade de São Paulo mostra como as princesas alteram a noção que meninas têm de si mesmas. A pesquisadora Michele Bueno acompanhou o dia a dia de crianças matriculadas na pré-escola e constatou que, para elas, nem todas as heroínas da Disney eram realmente princesas merecedoras do título. Cinderela era considerada realmente digna de pertencer a uma corte, mas a chinesa Mulan, do filme homônimo, não se encaixava na categoria.

"Por que não?", perguntou a pesquisadora.

A criança não teve dúvidas: "Para ser princesa precisa casar, né? Senão não vai ser princesa, vai ser solteira!".[24] (Mulan não se casa no final do filme, como acontece com as outras.)

A noção de que uma mulher sem marido é uma fracassada molda a visão de mundo de mulheres da vida real. Escolher não casar, não ter filhos, não se comportar como uma princesa, fugir do padrão de beleza: todos esses caminhos são muito mais trabalhosos e questionáveis, quando o consenso apresenta um modelo de mulher ideal que é oposto. Quem explicou o poder dos contos de fadas em formar a mente das mulheres foi a escritora francesa Simone de Beauvoir: "Como, portanto, não conservaria o mito de Cinderela todo o seu valor? Tudo encoraja ainda a jovem a esperar do 'príncipe encantado' fortuna e felicidade de preferência a tentar sozinha uma difícil e incerta conquista".[25]

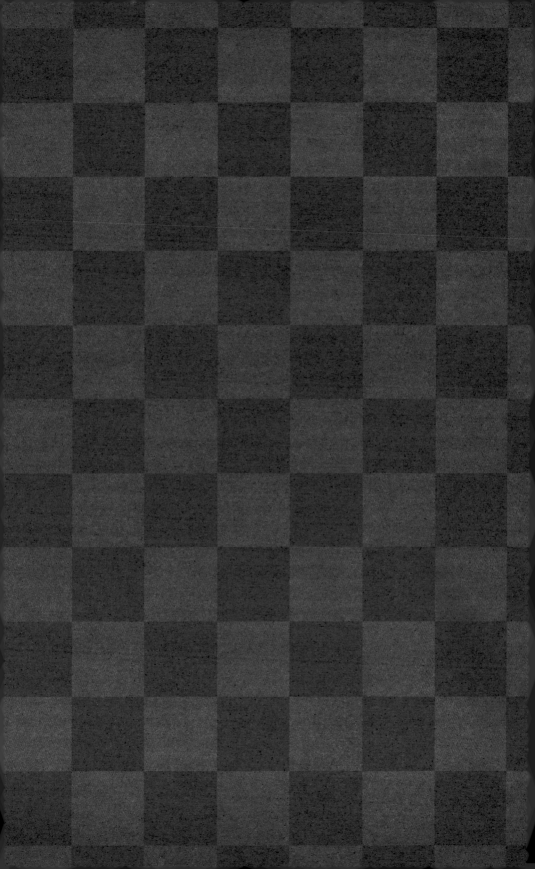

# Capítulo IV

## A BELA ADORMECIDA, AS SOGRAS E AS MADRASTAS MÁS

*"A coisa mais sábia — o que os contos de fadas ensinaram à humanidade nos tempos remotos, e ainda ensinam às crianças hoje — é encarar as forças do mundo mítico com astúcia e bom humor."*

Walter Benjamin, *The Storyteller Essays*, 1926

Cinderela teve a mais infame delas. Foi escravizada, maltratada e humilhada por ela. A de Branca de Neve não ficou atrás: tentou matar a princesa algumas vezes. A de João e Maria abandonou as crianças na floresta para não ter mais que sustentá-las. Já a do conto *O pé de zimbro*, como vimos, não só decapitou o enteado como também serviu o pequeno cadáver para o marido no jantar. Estamos falando de madrastas, é claro, umas das figuras mais recorrentes dos contos de fadas. Incontáveis histórias têm madrastas. Mas, para entender melhor de onde elas — e sua terrível má fama — surgiram, é preciso voltar um pouco no tempo. Bastante, na verdade. Para épocas em que nem havia contos de fadas. Nem sequer seres humanos como os conhecemos hoje. Para cerca de 4 milhões de anos atrás.

Há 4 milhões de anos, quem estava vivo era um primata que, milhões de anos depois, evoluiria e daria origem à nossa espécie. Ele morava nas árvores e se equilibrava sobre quatro patas, mais ou menos da mesma forma como chimpanzés e gorilas se locomovem hoje: apoiando-se sobre os pés e os punhos fechados. Por algum motivo misterioso, provavelmente em busca de alimento mais abundante e por causa de mudanças climáticas, alguns desses nossos parentes resolveram deixar a mata fechada e se aventurar nas planícies cobertas de grama da África. Por algum motivo mais misterioso ainda, esses mesmos primatas, os australopitecos, começaram a se equilibrar sobre duas patas, dando origem a uma série de espécies de hominídeos que culminariam em nós, os *Homo sapiens*. Foi assim que nos tornamos bípedes — e a nossa história começou a ser traçada.

À primeira vista, as vantagens de andar sobre os pés não parecem muito óbvias. Eretos, somos mais instáveis, mais desajeitados, e nos locomovemos mais devagar. Ficamos propensos a quedas, como qualquer um que já observou uma criança aprendendo a andar pôde perceber. Mas ser bípede foi essencial para que nos transformássemos no que somos hoje. O primeiro motivo óbvio é que, ao andarmos sobre as patas traseiras, liberamos as dianteiras. Ou seja, ficamos com as mãos livres para usar instrumentos, carregar bebês ou desempenhar qualquer outra função que um chimpanzé não pode fazer porque está ocupado andando com as patas no chão. A longo prazo, isso desenvolveu nossas habilidades motoras. Com as mãos livres, aprendemos a criar objetos essenciais para nossa sobrevivência. O que foi ótimo na hora de caçar carregando lanças, por exemplo, ou para manusear o fogo sem se queimar. As mãos nos deram uma vantagem competitiva sobre as outras espécies.

Outra vantagem óbvia é que sobre duas patas conseguimos passar mais tempo correndo — nossos amigos primatas podem até correr mais rápido, mas se cansam antes também. Gastamos muito menos energia para andar e correr do que eles. Mais um motivo, aparentemente banal, é o resfriamento do corpo. Quando paramos de andar próximos do solo e começamos a deixar o torso erguido, passamos a sentir menos calor, pois a temperatura do chão deixou de nos afetar. Isso também faz economizar energia. E economia de energia é estratégica: ela permite que fiquemos longos períodos sem comer ou mais tempo perseguindo uma caça, por exemplo.

Essas vantagens fizeram com que a caminhada bípede fosse sendo privilegiada ao longo de milênios de evolução humana. Os descendentes daquele primeiro hominídeo que se ergueu para andar sobre duas pernas começaram a caminhar eretos também — incluindo nós mesmos. A lógica é a da seleção natural: os indivíduos que caminhavam melhor sobre duas pernas tinham mais chances de sobreviver — e geravam descendentes mais fortes e competitivos também. Lentamente, foram conquistando território e dominando outras espécies.

Mas, para os contos de fadas, o importante é entender o que aconteceu com o nosso corpo *depois* que começamos a andar sobre duas patas.

O bipedalismo alterou drasticamente a nossa anatomia. Primeiro, nossos pés sofreram alterações: deixaram de ter dedões opositores (que permitem aos macacos pegar objetos e se pendurar nos galhos com os pés) e ganharam um dedão voltado para a frente, que ajuda a equilibrar a caminhada. O encaixe das nossas pernas no quadril também se alterou. Para manterem a coluna ereta, suportar o peso do corpo e permitir movimentos mais estáveis, os quadris humanos foram mudando de formato ao longo de milhares de anos de evolução. Em comparação com animais quadrúpedes, os nossos quadris são mais curtos e estreitos. E foi isso que teve efeitos brutais para nós.

O quadril mais compacto trouxe um problemão para as mulheres na hora do parto, porque dificultou a passagem do bebê pelo canal vaginal. Entre os seres humanos, dar à luz é um negócio de risco. Isso porque somos também uma espécie particularmente cabeçuda. Ao longo da evolução humana, e inclusive graças ao andar ereto, o volume do nosso cérebro triplicou — principalmente o córtex cerebral, a parte responsável pelos pensamentos e movimentos complexos. Em comparação com outras espécies, temos cérebros bem mais avantajados. Nossa massa encefálica é responsável por 2,5% do nosso peso — uma medida considerável. Outros mamíferos, como gatos (1% do peso), cachorros (0,8%) ou até mesmo os cabeçudos elefantes (0,1%), ostentam cérebros bem mais humildes.

Isso foi ótimo para a nossa inteligência, mas péssimo para as nossas mães. Junte essas duas características — quadris estreitos e cabeças avantajadas — e cria-se a mistura perfeita para um parto de risco. Cientistas chamam a junção desses dois fenômenos de "dilema obstétrico". Não é fácil passar uma cabeça tão grande por um quadril que a evolução tratou de deixar bem estreito. Não é à toa que mulheres descrevem o ato de dar à luz como a tentativa de passar uma melancia por um buraco de fechadura. A espécie humana realmente espreme uma cabeça muito grande por um quadril pequenininho para nascer. Como consequência disso, o nosso parto virou um negócio bem mais perigoso do que o de outros animais.

Mas o que isso tem a ver com contos de fadas?

Se o parto humano, por sua própria natureza, pode virar uma situação de risco para a mulher, é de esperar que muitas mulheres não sobrevivam ao nascimento dos filhos. Isso realmente aconteceu. Antes das cesáreas (que só começaram a ser praticadas, ainda de forma muito arriscada, por volta do ano 1500), dos antibióticos e das anestesias, muitas mães morriam dando à luz. A taxa de mortalidade de mulheres durante o parto nos séculos passados era bem mais alta do que hoje em dia. Na Inglaterra, por exemplo, entre os anos 1700 e 1750, de cada mil mulheres que davam à luz, dez morriam. Era um risco respeitável. Hoje, a taxa "aceitável" para a Organização Mundial da Saúde (OMS) é de menos de 0,2 morte para cada mil nascimentos.

Para datas ainda mais antigas, é raro encontrar dados muito abrangentes, mas o que os historiadores fazem é analisar os registros de óbitos em igrejas. Na paróquia de St. Botolph, em Londres, por exemplo, entre os anos 1583 e 1599, 23 mulheres morriam a cada mil partos. Para os nossos padrões, é um número assustador. Atualmente, até em países onde metade das crianças vem ao mundo sem assistência médica, como é o caso do Afeganistão, da Índia e do Congo, a taxa é dez vezes menor do que naqueles tempos. Nos países mais pobres, morrem 2,3 mulheres para cada mil nascimentos. Ou seja, botar filhos no mundo antigamente era um negócio bem arriscado.

Para piorar, era comum a mulher ter muitos filhos: cinco, seis, sete... A cada parto, o risco era o mesmo. Alguns cientistas afirmam que a alta mortalidade durante o parto explicaria por que, no passado, as mulheres tinham expectativa de vida menor que os homens. Isso é especialmente estranho porque, hoje em dia, é o contrário que acontece: em toda parte do mundo, são as mulheres que vivem mais. No Brasil, a expectativa de vida para elas é de 80 anos, enquanto que para eles não passa dos 73. De fato, alguns estudos longitudinais mostram que mulheres viviam em média cinco anos a menos entre o período Paleolítico e a Idade Média. A análise de 25 mil epitáfios romanos também confirmou essa tendência. No começo do século XIX, mulheres viviam em média apenas 25 anos no sul da Borgonha, na França. Nos séculos XVI e XVII, em algumas províncias do Reino Unido, a taxa de mortalidade de mulheres nos primeiros cinco anos do casamento era 70% maior do que a dos homens — um número que só pode ser explicado pela mortalidade materna.

A consequência disso é que a gravidez costumava ser acompanhada por muita ansiedade. O medo de engravidar, e de parir, era comum. Até recomendava-se às mulheres que fizessem seus testamentos antes de entrar em trabalho de parto. Escreve o médico e professor Geoffrey Chamberlain, da Universidade de Wales, no artigo *British Maternal Mortality in the 19th and Early 20th Centuries*:

> No século XIX e na primeira metade do século XX, todo mundo sabia de mortes durante o parto, principalmente as mulheres que estavam prestes a dar à luz. Apesar de as mortes por outras enfermidades também serem altas, estas pelo menos ocorriam entre pessoas que já estavam doentes. A morte relacionada ao parto acontecia com mulheres jovens, que estavam em ótimas condições de saúde antes de engravidar. Elas morriam e deixavam o bebê, e os outros filhos mais velhos da família, nas mãos de um marido viúvo.[26]

## O NASCIMENTO DA MADRASTA

Como lembrou o dr. Chamberlain, nem sempre as esposas morriam na primeira gravidez. Muitas sucumbiam quando engravidavam pela segunda, pela terceira ou pela décima vez. Assim, acabavam deixando para trás diversos filhos. Os órfãos, então, teriam de ser criados pelo pai. Para muitos viúvos, educar, alimentar e sustentar a prole sozinho era uma tarefa difícil. A solução mais comum era se casar novamente. De fato, nos séculos XVII e XVIII, até 80% dos viúvos franceses se casavam pela segunda vez. Para as mulheres, essa taxa era bem menor: em certas regiões da França, apenas 10% das viúvas se casavam depois da morte do marido.

As novas esposas entravam na família já tendo de cuidar dos filhos deixados pela primeira mulher. Ou seja, a própria natureza foi responsável pela morte de tantas mulheres — e pelo fato de seus órfãos acabarem sendo criados por segundas ou às vezes terceiras esposas, as madrastas. São esses casamentos a origem do batalhão de madrastas que permeia os contos de fadas. Essas figuras eram muito mais comuns do que imaginamos. E acabaram refletidas nas histórias que as pessoas contavam entre si.

Nem sempre, claro, as novas esposas do marido tratavam mal seus enteados — não há nada que indique que fosse comum as madrastas dos séculos passados serem "más". O que devia acontecer eram casos isolados. Naqueles tempos apertados, com a pobreza batendo à porta, é de imaginar que algumas segundas esposas tratassem melhor os filhos biológicos do que aqueles do primeiro casamento. A lógica era a da sobrevivência. Se havia apenas um pedaço de carne para comer, dá para imaginar que uma mãe tentasse separá-lo para seu filho. Se houvesse apenas um príncipe no reino, ela bem que podia tentar arrumá-lo para sua filha. Ou seja, se comida e abrigo fossem racionados, é possível que os filhos biológicos acabassem beneficiados. E os pobres dos enteados dançavam.

Obviamente, não há evidências históricas que corroborem sistemáticos maus-tratos de madrastas contra os enteados, mas há algumas boas histórias que ilustram casos extremos. Como o que aconteceu no século X com os filhos de Edgar, um rei anglo-saxão. Edgar havia sido casado uma vez e tido dois meninos com a primeira esposa, mas ficou viúvo quando os filhos ainda eram pequenos. Sem saber se os meninos sobreviveriam à infância, ele resolveu se casar pela segunda vez para tentar ter ainda mais herdeiros varões. A segunda esposa teve outros dois meninos. Quando o rei finalmente morreu, a disputa pela sucessão do trono ficou entre os quatro filhos, mas o primogênito do primeiro casamento, Edward, levou a melhor. Quatro anos depois de coroado, Edward resolveu visitar a madrasta. A viúva recebeu-o com uma taça de vinho e, enquanto o monarca bebia, um servo da corte o esfaqueou no peito. Edward morreu e o trono foi para as mãos do meio-irmão Etelredo, como a madrasta havia planejado. Para colocar o próprio filho no trono, essa madrasta topou até matar o enteado.

Evidentemente, casos isolados não são regra. Mas nos contos de fadas a predileção pelos filhos biológicos é bastante comum. Todo mundo se lembra das irmãs insuportáveis de Cinderela, que dormiam em quartos luxuosos, tinham comida à vontade e eram vestidas com as roupas mais finas — enquanto a meia-irmã passava as noites sobre as cinzas. Ou dos irmãos do patinho feio, que ridicularizavam o pequeno cisne e o expulsaram de casa.

Há também a terrível madrasta de *A senhora Holle*, um dos contos mais populares na Alemanha até hoje, anotado pelos irmãos Grimm. Incapaz de enxergar a mediocridade da própria filha, uma viúva aterroriza a vida da enteada. O começo é incrivelmente direto:

> Uma viúva tinha duas filhas, uma bela e trabalhadora, a outra, feia e preguiçosa. Ela tinha imensa predileção pela feia e preguiçosa, porque essa era sua própria filha.[27]

Com base nessa pequena diferença, a filha boa era obrigada a limpar a casa, fiar tecido até que os dedos sangrassem e obedecer à velha sem reclamar. Felizmente para a enteada, a viúva e a meia-irmã cruel terminaram a história sendo punidas: foram mergulhadas em piche. Se dependesse apenas dos contos de fadas, a reputação das madrastas ao redor do mundo estaria perdida.

Ainda assim, é importante ressaltar que a explicação biológica/histórica não é a única que justifica a avalanche de madrastas nos contos de fadas. Não há tantas vilãs nas narrativas apenas porque muitas mulheres morriam ao dar à luz e os filhos acabavam sendo criados por outras. Muitas das madrastas foram invenções literárias, introduzidas artificialmente nas histórias. Foram obras de Wilhelm Grimm, por exemplo. Já vimos que Wilhelm foi um dos grandes responsáveis pela popularização dos contos entre crianças e que, para isso, ele jamais parou de editar e aperfeiçoar sua coleção. Foi ele que tirou toda menção a sexo ou sensualidade das narrativas. Mas ele também substituiu algumas mães maldosas por madrastas más à medida que reescrevia seus contos.

Nas versões originais de *Branca de Neve*, por exemplo, quem morria de inveja da princesa e a expulsou do palácio não foi a madrasta má, e sim a própria mãe. O mesmo aconteceu em *João e Maria*. Nas primeiras edições do conto, não era a madrasta das crianças que queria se ver livre delas e sugeriu que as abandonassem na floresta: era a mãe de João e Maria. Na opinião de Wilhelm Grimm, crianças se impressionariam em ver mães agindo com maldade em relação aos filhos. Simplesmente não pegava bem a progenitora, figura supostamente benévola e amorosa, fazer malvadezas. Por isso, ele usou um recurso literário simples para resolver o problema: substituir "mãe" por "madrasta".

Essa troca aconteceu em diversos contos. Aos poucos, a figura foi ganhando tanto espaço que acabou tornando-se a vilã favorita das histórias. Mesmo assim, não se podem atribuir todas as aparições da personagem à mente criativa de Wilhelm Grimm. Muitas outras narrativas folclóricas — do século XIX e de muito antes — já contavam histórias com madrastas.

Psicologicamente, a troca da mãe pela nova esposa do pai é importante. De acordo com psicanalistas que estudaram os contos, é saudável que as crianças leiam histórias sobre madrastas maldosas em vez de crueldades engendradas por mães. Ainda que as duas representassem a mesma personagem, a troca de figuras permitiria que elas sentissem raiva das mães de maneira mais natural. Escreve o psicanalista Bruno Bettelheim:

> Assim, a divisão característica dos contos de fadas entre uma mãe boa (normalmente morta) e uma madrasta má é bastante apropriada para a criança. Não só é um meio de preservar uma mãe interior toda bondade, quando a mãe verdadeira não o é, como também permite que se sinta raiva dessa madrasta má sem comprometer a boa vontade da mãe verdadeira, que é vista como uma pessoa diferente. [...] A fantasia da madrasta má não só conserva intacta a mãe boa como também impede os sentimentos de culpa em relação aos pensamentos e desejos coléricos a seu respeito — uma culpa que interferiria seriamente na boa relação com a mãe.[28]

Para os psicanalistas, do ponto de vista dos filhos, as mães da vida real cumprem os dois papéis: o de progenitora bondosa e o de madrasta má, em diferentes situações da vida e em cada fase do desenvolvimento da criança. Ou seja, a ocorrência de tantas madrastas seria apenas uma metáfora para a maneira como o filho vê a mãe em situações de injustiça, raiva ou amadurecimento.

No caso de Branca de Neve, segundo outras interpretações, ao trocar a mãe pela madrasta, Wilhelm disfarçou o verdadeiro tema do conto: a inveja que uma mãe sente da filha. Esse tipo de comportamento, que ocorre em algumas dinâmicas familiares da vida real, foi eliminado quando Grimm acrescentou artificialmente a madrasta à história. A narrativa original contava a história de uma mãe narcisista. No conto, a madrasta má é extremamente vaidosa e passa os dias olhando-se no espelho. Sua necessidade de ser a mais bela do reino é tanta que ela pergunta rotineiramente ao artefato falante na parede se ela continua mantendo o status. Quando o espelho conclui que a rainha foi ultrapassada por sua enteada, a mulher se transforma na bruxa má: manda matar a menina para que ninguém mais, além dela, receba atenção.

O narcisismo está aí, na impossibilidade de admitir que outra pessoa possa ser o centro das atenções. É simbólica também a suposta idade das duas personagens. A rainha, mais velha, sente sua juventude partir no mesmo momento em que Branca de Neve floresce e se torna bela — o que também pode acontecer com mães e filhas. As primeiras geralmente se despedem do auge da jovialidade justamente quando as segundas estão começando a receber a atenção dos homens.

De acordo com o Manual Diagnóstico e Estatístico de Transtornos Mentais, um livro da Associação Americana de Psiquiatria que compila e classifica alguns dos transtornos mentais mais comuns, pessoas com transtorno de personalidade narcisista acreditam que são mais importantes do que as outras, sentem necessidade de admiração constante e fantasiam o tempo inteiro sobre seu próprio sucesso, inteligência e beleza. Exatamente como a mãe do conto de fadas. É comum também sentirem muita inveja e apresentarem falta de empatia pelas pessoas do seu convívio. Cerca de 6% da população apresenta esse tipo de comportamento, segundo o manual. É a descrição perfeita da madrasta de Branca de Neve, que manda matar até a própria filha para não ser ofuscada. Filhas de mulheres com esse tipo de transtorno costumam ser o alvo favorito da inveja e da competição das mães — na vida real e nos contos de fadas. Psicólogos e psicanalistas que estudam os contos também não falharam em reconhecer o padrão na historinha.

## Quero matar meu irmão

Outra competição familiar real que dá as caras com frequência nos contos de fadas é a rivalidade entre irmãos. Narrativas como *Cinderela* e *Os três porquinhos* se baseiam exatamente nesse comportamento. Escrevem os psicanalistas brasileiros Diana Lichtenstein Corso e Mário Corso no livro *Fadas no divã:*

> Onde houver irmãos, haverá desigualdade de fato ou a suposição de que ela existe. É raríssimo o caso em que um grupo de irmãos considere equânime a distribuição do amor dos pais. Normalmente, os filhos observam que a preferência dos pais, e principalmente da mãe, incidirá sobre o filho menos independente, menos rebelde aos mimos, mais exigente de atenção.[29]

Em *Cinderela*, por exemplo, a protagonista é maltratada pelas meias-irmãs, que têm inveja da beleza e da bondade da menina. A madrasta, que em condições ideais deveria ter assumido o papel materno para a órfã, só tem olhos para as próprias filhas e dá a elas tudo aquilo de que precisam, além de livrá-las dos trabalhos domésticos. A disputa pelo afeto materno aqui é clara — e Cinderela sai perdendo. Já em *Os três porquinhos* a disputa não é por cuidado ou pelo amor dos pais — é um contra o outro, para ver quem se dá melhor na vida. Na versão original, do autor australiano Joseph Jacobs, de 1890, o resultado é incontestável. Os irmãos preguiçosos, que construíram suas casas com palha e madeira, não só tiveram as moradias destruídas pelo lobo mau como também acabaram devorados por ele. Já o irmão mais sábio e precavido, cuja casa foi erguida tijolo sobre tijolo, resistiu ao sopro do lobo e ainda devorou a fera na janta, quando o animal tentou entrar pela chaminé e acabou caindo em um caldeirão de água fervente. A versão de *Os três porquinhos* que você provavelmente conhece é a de Walt Disney, na qual nenhum porquinho é devorado. Nela, os irmãos rechonchudos cantam com escárnio: "Quem tem medo do lobo mau, lobo mau, lobo mau?", mas o próprio lobo também se dá bem na adaptação. Em vez de ser cozido vivo, é posto a correr, queimado.

Em muitos contos de fadas, quem sai ganhando na rivalidade entre irmãos são os caçulas, como afirmaram os psicanalistas brasileiros. Eles são, pelo próprio tamanho, os filhos mais frágeis e exigentes de atenção. Retratados como pequenos e indefesos, dão a volta por cima e provam que não são apenas rostinhos bonitos. São mais espertos, mais criativos e aventureiros do que os mais velhos. Isso ajudaria os leitores jovens a se identificarem com o conto.

É o caso de *O pequeno Polegar*, no qual o caçula evita que a prole inteira seja devorada por um terrível ogro, e de *O osso que canta*, coletado pelos irmãos Grimm. Nessa história, um rei promete dar a mão da filha para quem conseguir matar um porco selvagem que anda aterrorizando o reino. Três irmãos se candidatam ao prêmio: "O mais velho era astuto e inteligente; o do meio, normal; e o caçula era inocente e tolo", diz a narrativa. Mas é justamente o tolo que consegue matar o porco selvagem com uma flecha. Infelizmente, ele era também inocente e acabou contando o heroico feito para os irmãos mais velhos. Invejosos, ambos matam o irmãozinho e o enterram debaixo da ponte. Sem remorsos, o mais velho leva o porco morto para o rei e se casa com a princesa. Anos se passam sem que a maldade seja descoberta, mas certo dia um pastor encontra um ossinho muito branco brotando da terra debaixo da ponte. Ele o pega, faz dele um berrante e, quando o sopra, uma misteriosa música sai do instrumento:

> "Oh, amiguinho pastorzinho,
> Você sopra o meu ossinho:
> Os meus irmãos me mataram
> E aqui embaixo me enterraram,
> Roubaram o porco que eu matei
> Só para casar com a filha do rei".[30]

Imediatamente, o pastor leva o ossinho para o rei e revela a história. Implacável, o rei manda matar os dois irmãos mais velhos, que são jogados na água, e ordena que o esqueleto do caçula seja exumado e depositado num belo túmulo. E todos vivem felizes para sempre (menos, talvez, a princesa, que acaba viúva e sem o irmão bondoso). É a história de uma rivalidade de irmãos para além da vida.

Na vida real, a rivalidade entre irmãos existe, é claro. Está registrada nas nossas origens culturais e biológicas. Aparece na Bíblia, por exemplo, já entre o terceiro e o quarto humano que habitaram a Terra: os filhos de Adão e Eva. Caim mata Abel depois de constatar que suas oferendas para Deus não causaram uma impressão tão boa quanto as do irmão. Aparece na natureza também, onde ornitólogos e entomólogos registraram dezenas de casos de irmãos pássaros e irmãos insetos brigando até a morte. Geralmente, as disputas envolvem comida e a atenção dos pais. Em muitos casos, sobretudo entre pássaros, os pais são coniventes. Eles preferem que um filhote mate o irmão e garanta a sobrevivência da espécie a que os dois morram porque tiveram de dividir a comida.

Em nossa espécie, a disputa não costuma envolver vida ou morte, mas ela existe. Pesquisas psicológicas recentes tocam no desagradável assunto apenas para concluir que não é regra uma mãe ou um pai tratar todos os filhos da mesma forma — ou gostar de todos com a mesma intensidade. De acordo com uma pesquisa feita com 384 famílias na Califórnia, que foram monitoradas ao longo de anos enquanto resolviam conflitos, 65% das mães e 70% dos pais demonstravam algum tipo de favoritismo em relação a um dos filhos. Outra pesquisa, feita no Reino Unido com 14 mil famílias, revela que cada filho que nasce recebe um pouco menos de atenção do que seu antecessor: o que quer dizer que não é estranho o fato de os primogênitos serem, em média, três centímetros mais altos e alguns pontos de QI mais inteligentes. Por terem sido os primeiros a nascer — e por terem estreado os pais nesse negócio de ser pais —, eles costumam receber mais cuidado e até mesmo mais comida do que os caçulas ou os irmãos do meio. O que não quer dizer que eles sejam sempre os favoritos.

Alguns estudos indicam que os caçulas geralmente são os preferidos, além de privilegiados em disputas entre irmãos e no número de presentes que ganham, confirmando a mitologia de muitas famílias e alguns contos de fadas. Já outras pesquisas mostram que as mães preferem mesmo os filhos que são mais parecidos com elas próprias, principalmente em relação a valores e opiniões, mas também em características físicas. Isso explicaria por que os enteados teriam menos chance de alcançar o posto de favoritos: por uma questão biológica, eles não poderiam ser parecidos com as madrastas. Mas o mundo obviamente — e felizmente — não é feito apenas de genética e biologia. Razões comportamentais e psicológicas explicam muito mais coisa.

## A SOGRA, A OGRA, A COBRA

As madrastas não ocupam sozinhas o posto de figuras mais antipáticas dos contos de fadas. Há outra categoria de mulheres que fazem um papel igualmente odiável nas narrativas: as sogras. Nas histórias, sogras e madrastas são personagens quase intercambiáveis. Não à toa, até hoje muitas línguas têm apenas uma palavra para definir "madrasta" e "sogra". Assim, o francês usa *belle-mère* para designar tanto a nova esposa do pai quanto a mãe do cônjuge. No inglês, a palavra atual para "sogra", *mother-in-law*, queria dizer "madrasta" até a metade do século XIX, e o significado literal é "mãe pela lei", ou seja, é a mãe que se recebe depois da assinatura de um contrato: a certidão de casamento. Para os especialistas em contos folclóricos, elas cumprem o mesmo papel. Ambas carregavam tremenda má fama. Assim como as madrastas, as sogras não tinham reputação favorável — e até hoje não têm, se levarmos em conta o número de piadas que genros e noras ainda fazem com elas. Isso se explica pela convivência próxima que as mães tinham com filhos e cônjuges — e que nem sempre era harmoniosa.

As maiores vítimas de intromissões de sogras eram as noras. De acordo com costumes patriarcais tradicionais, assim que se casavam as meninas eram absorvidas pela família do marido. Uma tradição, aliás, que ainda não foi extinta: até hoje é comum mulheres adotarem o sobrenome dos parceiros, e não o contrário. Nos séculos passados, a inserção na família não se restringia ao nome ou aos documentos: acontecia na vida real. Muitos jovens recém-casados moravam na casa dos pais durante anos — em geral, uma década — antes de conseguirem construir ou comprar uma casa própria.

Nesse caso também a convivência da mulher com o clã do esposo era a regra. Um estudo demográfico da França do século XVIII mostra que em 25% dos casos os pais do marido moravam com o filho, ao passo que em apenas 5% os pais da esposa moravam com a filha. Assim, a convivência entre sogras e noras era muito mais comum do que aquela entre sogras e genros. E mais: o convívio entre sogras e noras era até mesmo mais comum do que o observado entre as mães e as próprias filhas adultas. Assim, não é de espantar que o papel de vilãs tenha caído sobre elas. Se sogras ainda sobrevivem no imaginário contemporâneo como "enxeridas", "inoportunas" e "inconvenientes", nas histórias dos séculos passados elas matavam, castigavam e até tentavam comer as heroínas mais desavisadas.

Exemplos de sogras tenebrosas não faltam. A mais assustadora aparece em *A Bela Adormecida* — aliás, uma das histórias mais amedrontadoras já chamadas de conto infantil. A versão água com açúcar que todo mundo conhece é dos irmãos Grimm: uma pequenina princesa é amaldiçoada no dia de seu batizado por uma fada que ficou furiosa porque esqueceram de convidá-la para a festa. "Como castigo", disse a fada, "a princesa iria espetar o dedo em uma roca de fiar e morrer aos quinze anos de idade". Como a maldição parecia cruel demais para um bebê indefeso, uma das outras fadas presentes, cujo convite para o batizado não fora esquecido, resolve trocar o castigo por outro mais ameno. Em vez de morrer, a princesa seria condenada a dormir por cem anos. Dito e feito. No dia em que completa quinze anos, mesmo com todo o esforço do pai de queimar todas as rocas de fiar existentes no reino, a menina espeta o dedo numa dessas ferramentas e adormece. Durante um século, Bela Adormecida e toda a corte ficam no mundo dos sonhos. O feitiço só é quebrado quando um príncipe invade o imenso espinheiro que cercava o castelo, toma a princesa nos braços e lhe tasca um beijo apaixonado. Todos acordam e vivem felizes para sempre.

Já a versão de Perrault é ligeiramente mais obscura e dá indícios do passado sanguinário da história. A trama é parecida com a versão dos Grimm, mas não acaba como os alemães terminam: depois de acordar a princesa com um beijo e se casar com ela, o príncipe volta ao seu reino de origem levando a tiracolo a esposa e os dois filhos pequenos que, àquela altura, ele teve com ela. É aí que o drama começa de verdade. Tal qual a maioria dos camponeses da vida real, o príncipe ainda mora com a mãe. E o pior: a sogra da Bela Adormecida é, na verdade, descendente de uma terrível família de ogros comedores de criancinhas. Quando ela descobre que tem dois netinhos muito apetitosos, a sogra/ogra resolve comê-los. Assim, certa feita, quando o filho sai para lutar na guerra, a sogra resolve se deliciar com um deles e pede ao cozinheiro que prepare a pequena Aurora (nessa versão, a filha da Bela Adormecida) com cebolas para o jantar. O empregado, de coração mole, não consegue cumprir as ordens da rainha e sacrifica um cordeiro para servir no lugar da menina. A mesma coisa acontece com o filho mais novo da princesa e com a própria Bela Adormecida — a sogra pede ao cozinheiro que os prepare para ela comer, mas ele também não segue as ordens e poupa os dois. No lugar da princesa e do neto, a sogra se delicia com uma corça, engolindo-a "com muito apetite, pensando ser sua nora". Infelizmente, a mentira não dura muito tempo e a terrível ogra/sogra descobre que a nora e os netos continuam vivos e escondidos em algum lugar. Para terminar o serviço e matá-los todos de uma só vez, a vilã junta num enorme caldeirão os répteis mais venenosos e terríveis que consegue encontrar, com a intenção de despejar toda a família nele. É nesse momento que o príncipe resolve voltar da guerra e vê a indecência que tomou a sua família. Morta de vergonha, a sogra/ogra/bruxa se joga no caldeirão e morre devorada pelos bichos.

Se essa versão de *A Bela Adormecida* já parece indigesta, pior ainda é a escrita pelo italiano Giambattista Basile em 1634 e incluída no *Pentamerone*. Chama-se *O sol, a lua e Tália*. Tália é o nome da Bela Adormecida italiana, que desde bebê está predestinada a se machucar em uma farpa de linho. Assim, quando chega à adolescência, a menina realmente se fere num pedaço de linho, que fica preso sob sua unha, e morre. O pai, um nobre lorde, desolado com a tragédia, decide colocar o corpo da filha em um caixão e abandonar o lar para sempre. Durante anos, Tália fica na casa vazia, morta, até que um dia um príncipe a encontra e se encanta com sua beleza. O que acontece a seguir é assustador:

> Ele achou que ela estivesse dormindo e a chamou, mas ela não se mexeu, e, enquanto a chamava, ele sentiu o sangue esquentar em suas veias enquanto olhava para tamanho charme da menina; e então, ele a ergueu em seus braços e a botou em uma cama, onde ele colheu os primeiros frutos de seu amor e, deixando-a na cama, retornou ao seu reino e não pensou mais no assunto durante muito tempo.[31]

Sim, você leu certo: nessa versão, o príncipe encantado estuprou a Bela Adormecida. Se levarmos em consideração que, de acordo com a história, ela estava morta, o príncipe também praticou necrofilia. Mas, como costuma ser nessas narrativas, Tália não estava realmente morta.

Depois do estupro, a menina fica grávida de gêmeos e os dá à luz ainda inerte e inconsciente. Os dois bebês vêm ao mundo esfomeados e procuram o peito da mãe para mamar. É só quando um dos bebês confunde o dedo da mãe com o peito e suga o fiapo de linho enfiado debaixo da unha que a princesa acorda.

Como as coisas sempre podem piorar, é na hora que Tália acorda que o príncipe se lembra dela e resolve buscá-la. E só então, revela-se que o príncipe menos encantado de todos os contos de fadas já era casado.

O resto do conto é parecido com a versão de Perrault. Tália e os filhos vão para o reino do príncipe, onde a esposa do amado, na verdade, uma notória bruxa, tenta comer as duas crianças. A ideia era servir o assado ao marido depois. Felizmente, aqui também o cozinheiro resolve poupar os gêmeos. Quando a bruxa chama Tália para o palácio do rei, decide queimá-la viva, mas é nesse momento que o príncipe volta da guerra e evita a tragédia. Como era de esperar, é a vilã da história que acaba queimada na fogueira — embora "vilã da história" seja talvez um título injusto para a mulher, já que o príncipe é o verdadeiro personagem abjeto aqui.

Mas chega de belas adormecidas. Voltemos às sogras.

Outra sogra igualmente sanguinária é a da história *Os seis cisnes*, anotada pelos irmãos Grimm. Nela, os seis filhos de um rei são transformados em cisnes por uma bruxa má (que é também a madrasta dos meninos). Eles só podem voltar à forma humana se a única irmã da prole conseguir ficar seis anos sem falar ou rir. Completamente calada, a menina encanta um príncipe local que a leva para o palácio dele e se casa com ela. Mas a sogra da moça mora com o jovem casal.

Ao perceber que a nora não fala, a senhora decide pôr em prática um plano cruel: quando a princesa dá à luz o primeiro filho, a sogra rouba o bebê na calada da noite, suja a boca da mãe de sangue e a acusa no dia seguinte de ter comido o próprio rebento. Muda, a princesa não consegue se defender.

A sogra faz o mesmo com o segundo e o terceiro filhos do príncipe, sempre afirmando que a nora seria uma macabra canibal. Depois da morte do terceiro bebê, o príncipe não tem mais como defender a amada esposa e a condena a ser queimada viva. Já amarrada na fogueira, a princesa percebe que exatamente naquele dia completaria seis anos sem falar uma só palavra e que poderia, por fim, salvar os irmãos. Como num passe de mágica, no momento em que a fogueira está prestes a ser acesa, os seis cisnes aparecem voando, transformam-se em seres humanos e a menina volta a falar. Ela explica tudo para o marido — que não comeu os filhos, que era vítima das malvadezas da mãe dele, que não era muda e que agora ele tinha seis cunhados — e o príncipe não hesita. Aproveitando a pira já montada, amarra a própria mãe na fogueira e a "reduz a cinzas". O jovem casal vive feliz para sempre.

Mas voltemos agora à vida real.

A convivência entre sogras e noras e sogras e genros era de fato comum e rotineira — mas a vida dessas senhoras não era fácil. Basta dar uma olhada na história europeia entre os séculos XIV e XVII para conhecer o papel das sogras na sociedade. Elas estavam mais para coitadas do que para vilãs. Em um mundo regido por leis que favoreciam os homens, as mulheres eram valorizadas de acordo com sua juventude, porque poderiam garantir a continuidade da família. Mulheres mais velhas, que já não tinham função reprodutiva, eram marginalizadas, principalmente se enviuvassem. Sem um marido para lhes dar um papel na sociedade, as viúvas tinham de morar com um dos filhos, geralmente o mais velho. É de imaginar que muitas noras não as recebessem de bom grado.

Para piorar as coisas, elas ficavam sem dinheiro nenhum. As leis variavam de acordo com a época e o lugar, mas era comum as viúvas não terem direito sobre a herança dos maridos. Via de regra, os bens eram destinados aos filhos do sexo masculino. Na Inglaterra, o direito das mulheres sobre o dinheiro dos falecidos maridos só foi regulado em 1833. Na Itália do século XV, por exemplo, as viúvas não ficavam com nenhuma parte da herança. Se tivessem sorte, ainda recebiam de volta o dote que havia sido pago por suas famílias na época do casamento. Mas esse dinheiro também não ia diretamente para as mãos delas: de acordo com a lei, deveria voltar à família da mulher, e ela só poderia usufruir dele se voltasse também à tutela de sua família. Para tanto, ela teria de se despedir dos filhos, que ficariam na posse da linhagem do falecido esposo. Ou seja, precisavam escolher entre ficar com os filhos e ficar com o dinheiro.

Dessa maneira, as viúvas/sogras que resolviam ficar perto de sua prole dependiam da benevolência e da paciência de filhos e noras para sobreviver. O equilíbrio era delicado: elas viviam de favor nas casas alheias, ao mesmo tempo que tentavam lutar por um pedaço do dinheiro e dos bens dos maridos sem nenhum amparo legal. Muitas sogras viviam em condições quase de mendicância. Assim, pode-se entender por que o casamento de um filho não era bem-visto pelas mães: isso indicava que elas deixavam de ser a "mulher mais importante da família" e, em breve, teriam de abrir mão de seus direitos — e bens — em detrimento da nora. Se até hoje o folclore é recheado de piadas sobre sogras e madrastas, não é difícil imaginar que a relação conflituosa acabasse entrando também nos contos de fadas.

# Capítulo V

## A BELA E A FERA, OS CASAMENTOS E OS SERIAL KILLERS

*"Você não precisa de príncipes para salvar você.
Eu não tenho muita paciência para histórias nas
quais mulheres são resgatadas por homens."*

Neil Gaiman, *The Telegraph*, 2014

Era uma vez um homem muito rico, dono de diversos castelos e casas de campo abarrotados de tesouros e decorados com luxuosos móveis. Ele andava querendo se casar e decidiu tomar uma das filhas da vizinha como esposa, já que eram das mulheres mais bonitas que ele havia visto na vida. As meninas não se empolgaram muito com a ideia: além de o homem ter uma misteriosa barba azul — o que o tornava feio de dar dó —, ele já havia sido casado com diversas mulheres, e ninguém sabia direito o que havia acontecido com elas. Para convencê-las de que era um homem valoroso, Barba Azul chamou as filhas da vizinha para uma festa em sua casa. A folia foi tão divertida e tão agradável que a caçula se encantou pelo homem e decidiu que poderia, sim, ser feliz ao lado dele. Logo os dois se casaram. Certo dia, Barba Azul teve de viajar e, antes de partir, deixou com a esposa as chaves de todos os cômodos do castelo e disse para ela convidar quem ela quisesse para festejar. Mas deu um aviso: a menor chave de todas abria um armário proibido. Ela poderia abrir todos os aposentos da casa, menos esse misterioso armário.

Como era de esperar, a moça não aguentou de curiosidade e, no meio de uma festança para os amigos, resolveu conferir o que tinha dentro do closet. Assim que abriu a porta e entrou, percebeu que o chão estava coberto de sangue. Nas paredes, pendurados e mortos, estavam os corpos das ex-mulheres de Barba Azul. Diante de visão tão assustadora, a moça deixou cair a pequena chave, que ficou manchada de sangue. Assim que saiu da câmara de horrores, tentou lavá-la, mas constatou que o sangue não saía mais de jeito nenhum. Quando o marido voltou de viagem, pediu a ela que entregasse as chaves e obviamente reparou que a menorzinha estava manchada. Percebeu que a esposa lhe havia desobedecido. Ele ficou furioso: "Você vai ter de morrer, e vai assumir seu lugar ao lado das outras mulheres que você viu", esbravejou. Desesperada, a esposa se jogou aos pés do marido e pediu perdão. Em vão. Barba Azul apenas permitiu que ela rezasse por alguns minutos antes de executá-la.

Foi o que a moça fez. Assim que se viu sozinha, pediu ajuda para a irmã — que aparentemente estava por perto — e implorou-lhe que chamasse os irmãos para salvá-la. Barba Azul já estava com o facão e o cabelo da esposa em mãos para decapitá-la quando dois valentes cavaleiros — os irmãos da moça — invadiram o castelo e mataram o vilão. A moça foi salva e acabou ficando com toda a herança do cruel ex-marido. Todos viveram felizes para sempre.

Embora seja um dos contos de fadas mais tradicionais da Europa, *Barba Azul* não figura entre as histórias mais conhecidas aqui no Brasil. Na verdade, nem sequer se parece com um conto de fadas. Sem um casamento feliz para encerrar a narrativa, sem um príncipe encantado e quase sem acontecimentos sobrenaturais (tirando a chave que fica manchada de sangue para sempre), dá para entender também por que ela não é das mais adequadas para se contar para crianças. A história não migrou tão bem dos contos populares dos séculos passados para os contos infantis de hoje porque o enredo é violento demais para os pequeninos.

Nesse sentido, *Barba Azul* é muito mais parecido com um primitivo romance policial ou uma série de true crime, cheio de mistério (onde foram parar as antigas esposas do homem?), sangue (os corpos no armário), uma moça em perigo (a atual esposa) e uma grande revelação (o protagonista como vilão). Tal qual num filme de terror, a história é tensa, e não se sabe até o final se a heroína vai sobreviver ou vai virar mais uma vítima do cruel protagonista. Isso explica em parte o apelo que o conto mantém em alguns países, como a Inglaterra, a Alemanha e principalmente a França — terra natal de Charles Perrault, que anotou a versão acima, a mais conhecida delas.

Se repararmos bem, trata-se de uma narrativa de um assassino em série. Histórias de *serial killers* são estranhamente comuns nas coletâneas de contos de fadas, e *Barba Azul* é apenas a mais famosa delas. *O pássaro do bruxo Fichter*, dos irmãos Grimm, é um conto sobre um feiticeiro que se passa por morador de rua para sequestrar as três filhas de uma família. As duas mais velhas são mortas e esquartejadas porque desobedecem à ordem do bruxo de ficar longe de um quarto misterioso. Já a caçula é mais esperta e consegue se salvar. Termina jogando na fogueira o bruxo Fichter e ainda trazendo as irmãs de volta à vida. Em *O noivo bandido*, também de Jacob e Wilhelm Grimm, a heroína vê, escondida, seu noivo matar e esquartejar a avó dela e depois desiste de se casar com ele. E, em *Nariz de prata*, uma fábula coletada por Italo Calvino, o marido sombrio é ninguém menos que o próprio diabo em pessoa, que mantém labaredas e almas queimadas em um dos aposentos de seu palácio.

Heroínas de contos de fadas têm a esquisita mania de se casar com assassinos em série sem suspeitar do perigo que vem pela frente.

As ocorrências são tão abundantes que muitos pesquisadores procuraram *serial killers* da vida real que pudessem ter inspirado esse tipo de enredo. Nessas, *Barba Azul* é um dos contos com maior número de supostos equivalentes reais. Já sabemos que é impossível relacionar figuras do folclore a pessoas de carne e osso, mas isso não impediu historiadores de especular. Muitos assassinos em série do passado acabaram sendo associados à narrativa. Alguns são parecidos com os contos de fadas; outros nem tanto. Mas as teorias são interessantes. Vamos a elas.

### ☠ Hipótese 1: Gilles de Rais, século XV

A figura histórica que mais vezes foi associada a Barba Azul é um *serial killer* com uma trajetória de vida mil vezes mais assustadora que o conto de fadas.

O francês Gilles de Rais tinha apenas onze anos em 1416, quando seu pai e sua mãe morreram e ele se viu órfão. Aos 22, o rapaz de origem nobre entrou para a carreira militar e comandou uma tropa na Guerra dos Cem Anos, ao lado de Joana d'Arc, para lutar contra os ingleses. Logo, Gilles começou a demonstrar fortes tendências sádicas. Mas foi apenas em 1432 que o lado sombrio de sua personalidade realmente tomou conta: o rapaz começou a se interessar por sangue e assassinatos. Sua maior diversão era executar crianças em seu castelo. Gilles convidava os pequenos, oferecia-lhes um banquete e bebidas extravagantes e depois dava início às sessões de tortura. Geralmente, pendurava as vítimas antes de lhes cortar as cabeças. Ele sentia especial prazer em tirar as vísceras dos meninos e se masturbar em cima deles. Como as mortes eram tantas e tão ostensivas, depois de alguns anos Gilles foi levado a julgamento. Durante o processo, que sobreviveu aos séculos e serviu de base para diversos livros sobre o assunto, dezenas de famílias relataram o desaparecimento de seus filhos, netos e sobrinhos, o que acabou levando à condenação do francês — algo raro de acontecer para os nobres da época —, que foi enforcado. Estima-se que 140 crianças tenham sido assassinadas. Gilles de Rais acabou entrando para a história como um dos mais sanguinários *serial killers* de que se tem notícia e costuma ser chamado de "Barba Azul da vida real".

Nos tempos de Charles Perrault não houve associação direta entre o personagem de contos de fadas e Gilles de Rais — o escritor jamais afirmou ter-se inspirado no assassino para criar a sua história —, mas a lenda de Gilles já circulava na França na época em que o autor escreveu sua obra. Se foi ganhando o apelido de "Barba Azul" ao longo dos séculos, graças a sua história sanguinária se olhando de perto não há muitas semelhanças entre o conto e a vida do nobre. Apesar de ter matado dezenas de jovens inocentes, Gilles não assassinava suas esposas. Pelo contrário, o alvo favorito do francês eram meninos desconhecidos. Ainda assim, até hoje, o Castelo de Tiffauges, perto da cidade de Nantes, na França, tenta atrair visitantes afirmando que se trata do antigo lar de Barba Azul. "Uma visita pelo Castelo de Tiffauges dá a oportunidade de conhecer a história e os tesouros daquela época. Foi Gilles de Rais que concebeu o castelo, a figura que deu origem à lenda de Barba Azul!", anunciam para seus visitantes. Provas históricas para isso ficam faltando.

## ☠ Hipótese 2: Henrique VIII, século XVI

Outra possibilidade de inspiração histórica para o conto é a do rei inglês Henrique VIII. Ao contrário de Gilles de Rais, esse sim foi um notório assassino de esposas. O monarca teve seis mulheres, sendo que duas delas ele mesmo tratou de mandar para a degola.

Tudo começou com Catarina de Aragão, a primeira esposa. O casamento durou 24 anos, mas não gerou nenhum herdeiro homem, o que muito frustrou o regente. Assim, quando ele conheceu Ana Bolena, uma das amas da mulher, começou a cortejá-la. Perdidamente apaixonado, Henrique VIII decidiu então se divorciar de Catarina, algo condenado pela Igreja católica. O amor foi tão fulminante que ele não teve dúvidas: abandonou o papa e criou a Igreja Anglicana no lugar.

Em 1533, casou-se com Ana Bolena e a engravidou em seguida. Logo ela deu à luz Elizabeth I, que se tornaria uma das mais importantes rainhas da Inglaterra. Mas, sem um herdeiro homem, Henrique VIII se cansou do temperamento forte da esposa. Assim, não hesitou em inventar uma conspiração para condená-la à morte. Ela foi acusada de ter traído o rei diversas vezes — inclusive com o próprio irmão. Apesar de não haver indícios concretos para o crime, Ana Bolena foi decapitada em 1536.

Assim como no conto de fadas, esse Barba Azul era misterioso e sedutor: tinha um metro e noventa de altura, olhos azuis e um porte físico invejável. Rico e com um castelo cheio de cômodos, ele atraía todas as mulheres que quisesse. E a próxima escolhida foi Jane Seymour, outra dama da corte. Essa, no entanto, sucumbiu dando à luz o único filho de Henrique VIII, Eduardo VI. Não precisou ser eliminada pelo marido. Quando ela morreu, o rei se casou pela quarta vez.

A próxima vítima seria Ana de Cleves, uma nobre de Düsseldorf. As negociações para o casamento foram arranjadas antes de os noivos se conhecerem — o que se revelou um problema. Quando Henrique VIII enfim viu Ana de Cleves, ficou terrivelmente decepcionado. Por insistência das formalidades, o casamento foi para a frente, culminando numa traumática noite de núpcias, na qual Henrique não conseguiu ficar inspirado o suficiente para consumar o matrimônio. "Ela não é nada bonita e cheira mal. E nem parecia uma dama, com aqueles seios caídos. Deixei-a tão virgem quanto a encontrei", disse o nada delicado rei no dia seguinte. O enlace durou seis meses e acabou anulado.

Henrique VIII então se arranjou com Catarina Howard, prima de Ana Bolena, que também deixou o monarca enlouquecido de amor. A noiva era bela, carismática e praticamente uma criança: tinha quinze anos quando se casaram (perto dos quase cinquenta do rei). O que Henrique VIII não esperava era que sua esposa tão mais jovem tivesse um passado. Acontece que a menina já havia tido dois amantes antes do rei — um fato que não era ilegal, mas era considerado imoral. Quando o rei e seu arcebispo ficaram sabendo, surgiu o rumor de que ela seguia tendo casos depois de casada. Naqueles tempos, adultério por parte de uma rainha era crime de traição contra a pátria, porque punha em risco a legitimidade dos sucessores ao trono. Mesmo sem provas concretas, Catarina Howard também foi decapitada. A esposa que seguiria seria a última. O casamento com Catarina Parr só acabou quando Henrique VIII finalmente morreu, em 1547.

Não é difícil entender por que Henrique VIII, com suas esposas sequenciais, tenha sido chamado de "o verdadeiro Barba Azul". No entanto, não dá para dizer que sua história tenha servido de inspiração para Perrault ou para as outras narrativas com o mesmo tema que existem ao redor do mundo. É muito mais provável que o apelido de Barba Azul tenha sido atribuído ao rei para ressaltar sua crueldade — e não o contrário. Ou seja, o conto de um marido sanguinário já existia no imaginário europeu bem antes de Henrique VIII separar as cabeças dos corpos de suas esposas.

### ☠ Hipótese 3: Conomor, século VI

A última e mais antiga origem histórica para Barba Azul vem do século VI, da região da Bretanha, na pontinha oeste da França. Por acaso, ela é também a que mais se aproxima do enredo do conto de fadas. Naquela época, vivia um monarca que já havia enviuvado diversas vezes chamado Conomor (ou Cunmar, dependendo da escrita). Diz a lenda que ele se casou com a filha de um nobre da cidade de Vannes, uma tal de Trifina, que não queria de jeito nenhum se unir a ele por causa da má fama do rei. Cedendo às pressões, ela acabou se casando com ele. Logo depois do matrimônio, Trifina engravidou, o que deixou Conomor enfurecido, porque uma antiga profecia dizia que ele seria morto pelo próprio filho. Em algumas versões da lenda, a esposa entrou na capela do marido e encontrou os fantasmas das antigas esposas mortas, que lhe avisaram que Conomor as havia matado quando engravidaram. Trifina então resolveu fugir para se salvar. Saiu a cavalo pela floresta, mas não conseguiu escapar. Conomor a alcançou, sacou sua espada e a decapitou (assim como Barba Azul tentou fazer com sua esposa). Nesse momento, entra em cena São Gildas, um antigo amigo de Trifina. Ele encontra o corpo da menina, coloca a cabeça em cima do pescoço e, com a ajuda de umas rezas brabas, consegue trazê-la de volta à vida. Não satisfeita em ressuscitar, a moça (que acabaria santificada e viraria Santa Trifina) dá à luz um menino. Algumas versões da lenda dizem que Conomor morreu nas mãos desse seu filho, que fez ruírem as paredes de seu castelo sobre ele.

A principal fonte para essa história vem da hagiografia de São Gildas do século IX. Dada a quantidade de elementos sobrenaturais, não pode ser considerada muito mais do que folclore. Ainda assim, Conomor foi uma figura histórica: registros indicam que ele realmente existiu, que regeu a Bretanha no século VI e que até destronou um príncipe local. Os relatos que sobraram sobre sua vida é que têm status de lenda.

Trifina entrou para os registros da Igreja católica como santa, uma que costuma ser representada carregando a própria cabeça nas mãos. Sua história está narrada nos afrescos da capela de St. Nicholas des Eaux, na França — e essa, sim, se assemelha muito à história de *Barba Azul*. As pinturas retratam a vida da santa em diversas cenas, que incluem o casamento com Conomor, o momento em que ele dá a ela uma chave, a descoberta das sete esposas mortas e por aí vai. A semelhança é bem evidente — e é por isso que se especula que Charles Perrault conhecesse a história da santa e que tenha bebido dessa fonte para elaborar seu *Barba Azul*.

## MAS QUE HISTÓRIA É ESSA?

Por mais que existam tantos candidatos à vaga de Barba Azul da vida real, tudo indica que não tenha havido um único muso inspirador para a história. Assim como a maior parte dos contos de fadas, o enredo tem traços de mitos antigos e lendas que foram sendo repetidos desde a Antiguidade clássica. Os mais evidentes deles vêm do *Asno de ouro*, um romance da Roma antiga, escrito no século II d.C. pelo poeta Apuleio. Nele, há uma passagem que conta a história de amor entre Psiquê, uma moça linda e pura, e Cupido, seu marido misterioso que ela é proibida de ver. Ao sucumbir à curiosidade para espiar o amado, Psiquê é punida — assim como a mocinha de Barba Azul. O que une esse mito ao conto de Barba Azul é o tema central da história: a curiosidade feminina.

A desconfiança com a curiosidade das mulheres era comum nos séculos passados. A bisbilhotice era uma atividade fortemente repreendida. Durante séculos, a má fama foi tão grande que os costumes aconselhavam os homens a não contar nada para suas esposas. (Até hoje, mulheres carregam o estigma de fofoqueiras e enxeridas na vida alheia.) Pessoas tagarelas eram consideradas "perigosas".

Assim, não é à toa que Perrault termina seu *Barba Azul* fazendo um alerta às mulheres. Era para que não restassem dúvidas sobre qual era o ponto mais importante de seu conto de fadas: "A curiosidade, apesar de seu apelo, muitas vezes leva ao profundo arrependimento. Para o descontentamento de muitas damas, sua satisfação tem vida curta. Uma vez satisfeita, ela deixa de existir e sempre tem um alto custo".[32]

Mais uma vez, a moral de Perrault traz uma inversão da lógica. Em vez de repreender Barba Azul por ser, bem, um *serial killer*, Perrault critica a menina por ter desobedecido às ordens do marido. De acordo com essa moral, é mais importante obedecer ao esposo do que tentar sobreviver — e por isso ela merece um corretivo. Pela lógica, se alguém merecia uma bronca aqui, esse alguém deveria ser o rapaz que tem o hábito de matar suas esposas e escondê-las dentro do armário de casa. E mais: se o marido não queria de jeito nenhum que a esposa abrisse o armário e encontrasse os corpos esquartejados, então por que ele teve a brilhante ideia de lhe entregar a chave?

A punição pela bisbilhotice de mulheres é inusitadamente comum em mitos e contos folclóricos. Começou com Eva, aquela que foi proibida de comer a maçã do Éden e ainda assim o fez, causando a expulsão do casal do Jardim do Éden e condenando as mulheres a passar pela dor do parto. Depois chegou à mulher de Ló, também na Bíblia, que não resistiu à tentação de olhar para trás e ver a cidade de Sodoma sendo destruída, o que a transformou em estátua de sal. E foi até Pandora, da mitologia grega, que foi proibida de abrir um jarro dado a ela pelos deuses, desobedeceu à ordem e libertou todos os males do mundo. A curiosidade é o desafio central e o motivo de perdição para muitas mulheres da ficção. É essa a mais provável origem de *Barba Azul*.

Curiosamente, outra fonte de inspiração para o conto do *serial killer* Barba Azul vem de uma história que só existe graças à bisbilhotice masculina. É a coleção de contos *As mil e uma noites*. O livro surgiu entre os séculos VIII e XIII, mas os contos que ele coleciona — originados na Ásia Central e no Oriente Médio — são muito mais antigos.

A lenda por trás da obra é conhecida. Um renomado rei persa se casa e descobre rapidamente que sua mulher o está traindo com outro. Enfurecido e desiludido para sempre com o amor, o regente manda matar a esposa e decide que vai se casar todos os dias com uma nova virgem — apenas para matá-la na manhã seguinte e se assegurar de que ela não o trairá. Assim, entra em cena Sheherazade, a filha do vizir, para ser uma das noivas. Contudo, ela tem um plano. Todos os dias antes de dormir, a moça começa a contar uma história para o marido, mas se recusa a terminá-la. Curioso para saber o fim da narrativa, o rei a poupa. A menina, então, repete a estratégia na noite seguinte, e por mais mil noites. Sheherazade acaba sobrevivendo.

Foi graças à influência de *As mil e uma noites* que se tornou comum retratar Barba Azul como um sultão das Arábias, com direito a roupas de xeique, turbante e espadim em mãos. Em algumas versões, a esposa curiosa é chamada de Fátima, um nome de origem árabe. E o próprio fato de o vilão da história ter uma barba azul mostra que a inspiração para o personagem veio do Oriente. Na corte de Luís XIV, época em que Perrault lançou seu livro, era terrivelmente fora de moda usar uma barba — o que indicaria que o malvado deve ter vindo de terras longínquas.

Para o folclore, o tema central de *Barba Azul* é a punição para quem não consegue controlar a curiosidade. Mas, para a história, o conto pode ter surgido de um fato muito mais corriqueiro. Há outro elemento central em *Barba Azul* — e em quase todos os contos de fadas — que também era motivo de grande medo e terror na vida real. É um fato banal, que acontece até hoje em dia o tempo inteiro e pelo qual 60 milhões de brasileiros passaram ou vão passar ao longo da vida.

O casamento.

## SOCORRO, EU ME CASEI COM UM MONSTRO

Ao contrário do que proclamam as comédias românticas de finais felizes e as revistas de noivas com dicas de decoração, durante muito tempo o casamento não era um momento de alegria. Mesmo os muitos contos de fadas que terminam com um "viveram felizes para sempre" são enganadores. Por séculos, esse rito de passagem era cercado de mistérios, ilusões, obrigações e até mesmo perigos — especialmente para as mulheres.

Os casamentos do passado em nada se pareciam com os relacionamentos de hoje em dia, baseados (teoricamente) no amor e no companheirismo e iniciados com a livre escolha dos noivos. Uma união consensual criada a partir da compatibilidade dos parceiros é um conceito moderno. Estima-se que foi apenas no século XVIII que o amor subiu ao altar. Antes disso, casava-se por conveniência, pressão social, imposição dos pais, busca de prestígio e estratégias políticas. Ou seja, raramente era um momento cercado apenas por bons sentimentos. Casar por amor era um negócio tão fora do padrão que, quando isso acontecia, costumava gerar comentários de desaprovação.

Assim, os matrimônios eram organizados a partir de um equilíbrio delicado. Muito mais do que uma troca de carinho, os casamentos de antigamente se pareciam com um negócio. Eram a forma mais eficiente de travar alianças, transferir dinheiro entre partes interessadas, influenciar pessoas e garantir que as posses de um clã não fossem perdidas. Famílias faziam de tudo para se aliar com outras mais ricas e poderosas, alcovitando seus filhos sem o menor pudor. Não era à toa, então, que as partes mais interessadas — os noivos — palpitavam pouco em seus matrimônios. O casamento era um ato importante demais para deixá-lo à mercê de duas pessoas apaixonadas. Em vez disso, envolvia toda a família, a vizinhança, a igreja local e as cortes. Todo mundo palpitava para garantir que os noivos estivessem fazendo a coisa certa. Dá para entender o temor que muitos pombinhos deviam sentir pouco antes de se casar.

Entre os mais ricos e nobres, casamentos eram atos políticos. Se um determinado rei não vivia em bons termos com o monarca vizinho, em vez de entrar em guerra com ele — uma empreitada arriscada e cara —, valia mais a pena enviar sua filha para se casar com o herdeiro das terras ao lado. Assim, transformavam-se inimizades em laços de sangue. Meninas nobres costumavam ser enviadas para casar ainda crianças — a partir dos doze anos já se considerava que estivessem aptas para o matrimônio. Porém, muitas vezes, os arranjos começavam a ser feitos assim que os herdeiros nasciam. Ao contrário dos contos de fadas, nos quais as plebeias sonhavam em se casar com príncipes encantados, na vida real, tanto principezinhos quanto princesinhas chegavam à adolescência já sabendo com quem passariam o resto de seus dias.

Quem mudava de casa e reino geralmente eram as noivas, que partiam de seus lares rumo a terras longínquas sem nenhuma perspectiva de voltar — um hábito certamente aterrorizante. Escreve a historiadora Alison Weir, que pesquisou casamentos arranjados:

> O enlace era um período de grande perturbação e ajustamento para as jovens, e mais ainda para aquelas da realeza, porque uma princesa muitas vezes tinha de encarar uma viagem perigosa em direção a uma nova terra e a um estranho que ela nunca havia visto antes, além de despedidas dolorosas de seus pais, irmãos, amigos, lares e de sua terra natal, coisas que ela provavelmente nunca mais veria na vida. [33]

Antes do encontro ao vivo, que só acontecia quando o matrimônio já estava selado e decretado, os pombinhos, se tivessem sorte, só se viam por quadros a óleo e retratos. Muitas vezes, o encontro se revelava uma imensa decepção, e aí já não havia como voltar atrás. Preocupações com beleza, compatibilidade e até mesmo orientação sexual não tinham vez.

Longe da nobreza, os pretendentes eram um pouco mais sortudos. Ao contrário dos casamentos reais, muitas vezes homens e mulheres das camadas mais baixas se conheciam antes do grande dia. Podiam ser vizinhos ou amigos da família, por exemplo. Ainda assim, arranjar um bom partido era igualmente importante. No caso, podia ser a filha do padeiro que tinha habilidades nos negócios do pai ou o filho de um grande proprietário de terras com uma herança promissora. Porém, mais do que isso, casamentos envolviam trocas substanciais de dinheiro, na forma do dote, que a família da noiva entregava à do noivo. Casar representava a diferença entre uma vida na miséria e outra um pouco mais confortável. Da Idade Média ao século XVIII, a transferência do dote muitas vezes correspondia ao maior afluxo de dinheiro que um homem receberia em toda a vida. Ou seja, arranjar uma boa noiva era um ótimo negócio.

Se a família fosse ainda mais pobre e não conseguisse pagar o dote para todas as suas filhas, o jeito era se virar. As próprias moças tinham de trabalhar, geralmente como empregadas de casas mais ricas, para juntar o dinheiro que entregariam ao esposo no altar. Isso naturalmente elevava a idade média dos casamentos e trazia um lado positivo para elas: dava um pouco mais de liberdade na hora de escolher seus pretendentes. Esse hábito era mais comum na Europa ocidental e setentrional entre os séculos XVI e XVII. Nessa época, mulheres começaram a se casar mais tarde e, geralmente, com homens apenas um pouco mais velhos do que elas. Entre 1500 e 1700, na Inglaterra, as mulheres se casavam, em média, aos 26 anos — uma idade mais avançada inclusive do que as noivas estadunidenses ao longo de todo o século XX.

O casamento também era entendido como uma aliança comercial: como a falta de recursos era total, homens e mulheres trabalhavam juntos depois de casados e ambos eram vistos como mão de obra essencial para o matrimônio florescer. Foi o que aconteceu com Dorothy Ireland, uma empregada londrina do começo do século XVII. Apesar de já conhecer seu noivo havia oito anos, ela resolveu se casar com ele apenas quando já tinha 36 anos — e o amado, 42. Ambos acharam melhor juntar um pouco de dinheiro para abrir um negócio próprio em vez de correr para o altar. Esses casamentos mais "maduros", no fundo, eram um ótimo cenário para as noivas: além do maior grau de liberdade de que podiam usufruir antes de se casar e de poder influenciar na escolha do marido — afinal, eram elas que pagavam o dote —, elas passavam a ter menos filhos. Com menos anos férteis disponíveis depois do matrimônio, as moças passavam também menos tempo parindo e cuidando de bebês. E viviam mais livremente.

Ainda assim, mesmo quando as noivas já eram mais "maduras", casar podia ser um negócio amedrontador. Tanto na Igreja católica quanto nas que surgiram depois da Reforma Protestante, a mulher entrava na vida conjugal com um papel inferior ao do homem. Sua missão era servi-lo, obedecê-lo e preferencialmente não importuná-lo. Em alguns momentos do passado, mulheres casadas perdiam a sua (já pouca) autonomia e deixavam de ter o direito de comprar terras ou fazer dívidas, por exemplo. Às vezes, eram tratadas como crianças ou servas sob tutela de seu "dono". Na Inglaterra do século XIII, por exemplo, um casal foi acusado de forjar uma ordem real, mas apenas o homem foi executado como punição. O tribunal entendeu que a esposa não cometera o crime, porque tinha apenas obedecido ao seu mestre, o marido.

Para piorar, o homem tinha o direito de bater em sua mulher. Ninguém recriminava um homem que espancasse sua esposa; pelo contrário, há registros de homens que foram publicamente humilhados e flagelados por não terem mantido suas mulheres "sob controle". Na Inglaterra do século XVI, um popular provérbio definia a situação: "Um cão, uma nogueira e uma mulher — quanto mais se bate, melhores eles ficam". Aí valia de tudo: de tapas leves a surras tão violentas que deixavam as esposas com marcas para sempre. Embora a maioria dos maridos não fosse sádica e espancadora, muitos desenvolviam o hábito de bater em suas mulheres sem dó — como ainda acontece hoje em dia. Sem conhecer os futuros maridos e sem direitos legais que as defendessem de surras, as mulheres podiam entrar no casamento para servir, literalmente, de saco de pancada.

As perspectivas realmente não eram as melhores. Sem a possibilidade do divórcio, havia maridos que, cansados de suas esposas, simplesmente as abandonavam. Essas eram as sortudas. As menos afortunadas acabavam vendidas: o marido as levava para a praça central do vilarejo e as negociava para quem estivesse interessado. As mais azaradas acabavam mortas mesmo. Alguns séculos antes, entre os anos 800 e 900, era aceitável matar a esposa caso ela não se conformasse com as regras esperadas — o que incluía coisas como traição conjugal ou apenas contrariar o marido. Em contrapartida, na Inglaterra e na França, se uma mulher ousasse matar o marido, ela seria acusada de traição — e não de assassinato comum —, pois se entendia que ela havia atentado contra a vida de seu lorde e mestre. Tudo isso indica que casar estava longe de ser um final feliz para as raparigas. Estava mais perto de ser apenas um "final" mesmo.

## Entre quatro paredes

E ainda havia o sexo. A própria noite de núpcias era assustadora. Em um mundo no qual a sexualidade era fortemente reprimida, muitas mulheres chegavam ao leito matrimonial sabendo quase nada do que iria acontecer. (Diz-se que a mulher alemã de Henrique VIII, aquela da qual ele se divorciou por ser muito "feia", não sabia o que deveria ser feito na noite de núpcias, pois ninguém nunca havia tido uma conversa com ela.) Como a virgindade das jovens era guardada com afinco pela família toda, era de esperar que as noivas ficassem aterrorizadas, congeladas na cama, esperando que tudo acabasse logo. Era importante que não assumissem um papel ativo. O desejo não podia partir delas: o homem tinha o direito de impor suas "necessidades conjugais" a qualquer hora. Tampouco havia a possibilidade de as noivas recusarem o sexo. Sem o conceito de "consentimento", os maridos podiam exigir relações quando bem entendessem, sem se importar se as esposa queriam ou não. Estar sempre à disposição do homem fazia parte dos deveres matrimoniais de uma mulher — o que fazia de uma parte considerável das relações verdadeiros estupros.

Às vezes, a noite de núpcias era um evento público. Durante alguns períodos, como na Inglaterra do século XVI, havia o hábito de, ao final dos casamentos, os convidados e vizinhos botarem os pombinhos na cama acompanhados de cantorias e piadas de duplo sentido. Outra tradição inglesa era ainda mais invasiva: em alguns períodos, os rapazes solteiros jogavam suas meias sobre os recém-casados, já sobre o leito nupcial. O primeiro que conseguisse acertar a meia no nariz da noiva seria o próximo a se casar.

Muitas vezes, o dia seguinte era celebrado em público com lençóis ensanguentados sendo exibidos como prova do desfloramento da mulher. Milhões de mulheres (e homens também) devem ter subido ao altar morrendo de medo do que aconteceria em seguida entre quatro paredes. Para piorar, a noite de núpcias abria as portas para um perigo real: o de engravidar. E engravidar, como sabemos, era um negócio de risco antes da invenção de antibióticos, da cesárea ou de anestesias. Não à toa, muitos psicanalistas interpretam a chave manchada de sangue que a esposa de Barba Azul carrega depois de descobrir os crimes do marido como um símbolo da perda da virgindade.

Com tantos perigos psicológicos e físicos que envolviam o matrimônio, não é de estranhar que o casamento acabasse virando o momento mais importante (e intimidante) da vida de uma mulher. Sem conhecer os futuros esposos, as jovens moças entravam no relacionamento totalmente ignorantes do que iria acontecer. Para piorar, a escolha deveria durar a vida inteira, devido à pressão da sociedade e da Igreja. Se elas dessem sorte, o marido podia realmente ser um príncipe encantado: um homem gentil e carinhoso disposto a respeitá-la. Se dessem mais sorte ainda, talvez elas se apaixonassem pelos esposos e vice-versa, e ambos levariam vidas felizes. Não é por acaso que a fantasia do "viveram felizes para sempre" se realiza em tantos contos de fadas: era disso que eram feitos os sonhos das jovens dos séculos passados.

Mas as moças também podiam dar azar e se casar com o exato oposto de príncipes encantados. Maridos violentos, autoritários, cruéis e maldosos eram tão comuns quanto hoje em dia, com a diferença de que podiam agir com o respaldo da lei. No jogo do casamento, uma mulher podia se dar mal e acabar comprometida para o resto da vida com um monstro. Era natural que a insegurança sobre os casamentos acabasse contaminando as narrativas contadas à época. Foi por consequência desse sentimento que se desenvolveu um tipo bem comum de conto de fadas: as histórias de mulheres que se casam com seres terríveis.

Dentro da classificação de Aarne-Thompson, o grande catálogo folclórico de contos de fadas, há muitos registros assim. Há a categoria 402, os "noivos animais", por exemplo, que aglutina histórias como a famosa *O rei sapo*. O enredo costuma girar em torno de uma jovem moça que se casa com um pretendente que não é humano: geralmente um animal ou alguma fera horrorosa. No desenrolar da narrativa e depois de alguns contratempos, o marido acaba revelando-se um príncipe maravilhoso e a moça termina feliz, como no caso do sapo. Mas há muitos outros. A classificação 312 descreve contos sobre "esposas que são salvas, por seus irmãos, de maridos desumanos". É o caso, claro, de *Barba Azul*. Outro exemplo parecido é *A Bela e a Fera*. Ele tem uma categoria própria na tabela de contos de fadas, a 425C, e talvez seja a narrativa mais famosa sobre um marido monstruoso.

A primeira versão da história, e que inspirou as seguintes, foi escrita por uma mulher, a francesa Jeanne-Marie LePrince de Beaumont, em 1756. O enredo é um pouco — mas não tão — diferente da versão que a empresa de Walt Disney levou às telonas e que se tornou famosa no mundo todo.

Tudo começa com um rico mercador com três filhos e três filhas. A filha mais nova é a mais linda, gentil e humilde de todas e, por isso, recebe o nome Bela. Mas o mercador perde todo o seu dinheiro e, certa feita, tentando recuperar parte de sua riqueza, precisa viajar. Antes de ir, porém, ele pergunta às três filhas o que gostariam de receber de presente na volta. As duas irmãs mais velhas, egoístas e fúteis, pedem riquezas e joias, enquanto a mais nova, humilde que é, pede apenas uma rosa. Na volta da viagem, o pai se perde e procura abrigo numa luxuosa mansão. Quando ele entra, não avista ninguém. Tão cansado que está, resolve dormir na confortável cama de um dos ricos quartos.

No dia seguinte, não contente em invadir uma casa estranha, ele decide levar algumas das roupas luxuosas que estavam no armário para suas filhas fúteis e uma das rosas do jardim para Bela. É aí que o dono da mansão aparece furioso. Ele é, na verdade, uma fera que preza suas rosas acima de qualquer riqueza e determina que o pobre mercador terá que morrer por causa da infração. Mas o homem implora perdão e pede que possa voltar a ver suas filhas. A Fera aceita que o mercador vá embora, desde que ele mande uma das filhas para ser sua prisioneira. O velho topa a proposta e, quando chega em casa, apenas Bela (quem poderia adivinhar?) se oferece para ir morar com a Fera.

Mas, ao contrário das expectativas, a vida de Bela no palácio da Fera é feliz e harmoniosa. Bela fica em um quarto rico e confortável, come as melhores comidas, e a Fera se revela um companheiro carinhoso e amigável. É assim que o inevitável acontece: o monstro se apaixona pela menina e todas as noites pede-a em casamento. A menina, no entanto, não está interessada. Recusa o pretendente dizendo que o ama apenas como um amigo.

Certo dia, Bela fica sabendo que seu velho pai está doente e pede permissão para ir visitá-lo. A Fera consente, desde que ela volte em uma semana e não fique nem um dia a mais. Feliz da vida, Bela vai para casa e recebe a visita das irmãs maldosas. As irmãs àquela altura estavam casadas: a mais velha com um homem muito bonito, mas que não dava a mínima para a esposa; e a do meio com um homem muito inteligente, mas que gostava de humilhar e maltratar a mulher. Terrivelmente invejosas de ver Bela mais bela do que nunca, coberta com roupas maravilhosas e levando a vida ao lado de um companheiro gentil, elas convencem a irmã a ficar mais tempo do que o combinado, na esperança de que o monstro se enfureça e devore a caçula. Bela cede, mas no décimo dia sonha com a Fera, que está no leito de morte de tanta saudade.

Ela volta correndo para o palácio e encontra o monstro desfalecido e quase morto. A menina começa a chorar e, arrependida de tê-lo deixado sozinho, percebe que ama a Fera de verdade. Ela o abraça e promete que vai se casar com ele. Assim que ela diz essas palavras, o palácio todo se ilumina, fogos de artifício estouram no céu e a Fera se transforma no príncipe mais lindo que já habitou o planeta. Recuperado da saudade, o rapaz explica que havia sido enfeitiçado por uma fada para assumir a aparência de monstro, e que só poderia voltar à forma humana se encontrasse alguém que aceitasse se casar com ele apesar da monstruosidade. Bela fica feliz da vida e os dois se casam. Às irmãs malvadas é reservado o destino mais cruel de todos os contos de fadas. Elas são transformadas em estátua e colocadas na frente do palácio da Bela e da Fera. Conscientes, são condenadas a testemunhar congeladas a felicidade da irmã caçula por toda a eternidade.

O conto tem uma moral clara e bem didática para as moças que o liam na época. Não adianta sonhar com um príncipe galã e eminente se ele for um péssimo marido: mais vale ficar com o esquisitão que trate você bem. Bela, aliás, proclama isso com todas as letras quando vê a Fera desfalecida: "Por que me recusei a casar com ele? Eu seria mais feliz com o monstro do que as minhas irmãs são com seus maridos; nem inteligência nem beleza fazem uma mulher feliz, mas virtude, doçura de temperamento e complacência, e a Fera tem todas essas qualidades", discursa a moça.

A autora, Jeanne-Marie LePrince de Beaumont, é racional e sábia em seu conselho. Os casamentos de antigamente passavam longe de ser "contos de fadas". Em uma época em que os matrimônios eram acompanhados de imensos temores e expectativas irreais, recomendar às leitoras um marido banal e bondoso no lugar de um príncipe encantado era um ato razoável. Moderno, até.

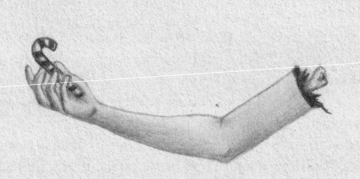

# Capítulo VI

## JOÃO, MARIA E O CANIBALISMO

*"Nos contos de fadas que ouvi durante a infância
há significados mais profudos do que nas
verdades que a vida me ensinou."*

Friedrich Schiller, *Die Piccolomini*, 1800

Quando falamos em *João e Maria*, é provável que logo surjam algumas imagens na sua cabeça: uma casa feita de doces no meio da floresta, as migalhas de pão que o menino deixa cair para marcar o caminho de volta para casa e, claro, a terrível bruxa carnívora que quer comer as crianças e as coloca em dieta de engorda para que fiquem bem apetitosas. Mas pouca gente repara no elemento mais assustador da história. Está bem no começo. Vamos relembrar.

Diante de uma grande floresta morava um lenhador que vivia na pobreza e mal conseguia o pão diário para alimentar a esposa e os dois filhos, João e Maria. Certo dia, faltou comida em casa e ele não sabia mais o que fazer para sair daquele apuro. À noite, ao se revirar preocupado de um lado a outro na cama, a mulher disse:

> "Ouça, marido, amanhã bem cedinho dê um pão às duas crianças e leve-as para o meio da floresta, onde a mata for mais espessa. Faça uma fogueira e vá embora deixando-as ali, porque não podemos mais alimentá-las."
> "Não, mulher", disse ele, "não posso entregar meus próprios filhos queridos para serem devorados pelos animais selvagens da floresta."
> "Se você não o fizer, morreremos todos de fome", disse a mulher e não o deixou em paz, até que ele acabou dizendo sim. Por sentirem fome, as duas crianças também estavam acordadas e ouviram tudo o que a mãe disse para o pai.[34]

Se você leu direito, vai reparar que a história começa com uma mãe que tenta matar os filhos abandonando-os na floresta escura. A versão acima foi publicada em 1812 na primeira edição dos *Contos maravilhosos infantis e domésticos* de Wilhelm e Jacob Grimm. Talvez você tenha lido alguma outra variante, na qual a mãe tenha sido substituída por uma madrasta malvada que convence o pai a largar os filhos. A troca da mãe pela madrasta foi feita pelos próprios Grimm na quarta edição do texto, mas ela não ameniza a questão central da história: é a mãe, de sangue ou de criação, que quer se ver livre dos filhos.

A narrativa não é uma exceção. Os contos de fadas — e, na verdade, todo o folclore e a mitologia — estão repletos de histórias de filicídios. Os casos são inúmeros. O titã grego Cronos, com medo da profecia que dizia que um de seus filhos iria derrotá-lo um dia, não hesitou: devorou todos os seus bebês assim que nasceram. Medeia, também da mitologia grega, não suportou ser abandonada pelo marido, Jasão, que a trocara por uma princesa, e resolveu se vingar: de tanta raiva, matou dois dos filhos que tiveram juntos. E o deus hindu Varuna, ao ver que seu filho Bhrgu estava tornando-se um arrogante sabichão, matou-o e mandou-o para o reino dos infernos para que aprendesse uma lição e as verdadeiras coisas do mundo. Não procure candidatos a pais do ano nas histórias milenares.

Nos contos de fadas, o que impressiona é o número de pais que enxergam nos filhos uma fonte de alimento. Há diversos pais e mães que matam sua prole para ter o que comer. Esse é o caso de João e Maria: como a comida andava escassa para a família, os pais resolveram se ver livres dos filhos para não passar fome. Na versão italiana da história, de Giambattista Basile, que conta a vida dos simpáticos Nennillo e Nennella, o motivo é o mesmo: a madrasta quer se ver livre das crianças por causa da fome e porque não suporta sequer olhar para elas. Já o prêmio de pior progenitor dos contos de fadas vai para a mãe da história *As crianças famintas*, na qual a mulher, de tanta fome, propõe comer as próprias filhas. O diálogo é incoerente.

> Era uma vez uma mãe com duas filhas que vivia em tanta pobreza que não tinha mais nenhum pedacinho de pão para colocar na boca. A fome ficou tão grande que a velha entrou em desespero e falou para a filha mais velha:
> "Eu preciso te matar para que eu tenha algo para comer." A filha disse: "Ai, querida mãe, poupe a minha vida, eu vou sair e procuro comida sem mendigar".[35]

Mas não pense que acabou por aí. Em seguida, não contente em importunar a mais velha, a mãe também sugere à caçula que seja comida. A filha também se oferece para procurar alimento sem mendigar. (A possibilidade de pedir esmola na rua é mais um indício de como os tempos estavam difíceis.) Se você ficou curioso para saber como essa história termina, é assim: sem saída, as duas filhas se deitam para morrer e nunca mais acordam. Já a mãe some misteriosamente.

Como dá para perceber, comida e fome eram assuntos de vida e morte nos contos de fadas. Nem sempre as mães eram os algozes. Em *O pequeno Polegar*, de Charles Perrault, é o pai que decide abandonar os sete filhos na floresta, mesmo contra os suplícios da mãe. "Num ano de muita miséria, em que a fome foi muito grande, aquela pobre gente decidiu desfazer-se dos filhos", diz bem claramente o texto original.[36]

Pela maneira como o fato é narrado, com uma naturalidade cotidiana, e pela quantidade de vezes que os pais resolvem lançar mão desse recurso, dá para imaginar que a situação não fosse assim tão incomum. Historiadores acreditam que esses acontecimentos são narrados nas histórias porque a procura por nutrientes era também assunto de vida ou morte na vida real. E que casos parecidos podem ter acontecido de verdade.

Ninguém quer dizer com isso que João e Maria realmente existiram ou que pesquisadores de fato procuraram as ossadas do casalzinho de irmãos nas florestas germânicas. (Embora o escritor alemão Hans Traxler tenha enganado direitinho seus leitores quando, em 1963, lançou uma obra acadêmica que descrevia a investigação que buscava o João e a Maria da vida real. De acordo com esse trabalho "histórico", o enredo se passou no século XVII numa floresta perto de Würzburg, no sul da Alemanha. João e Maria seriam, na verdade, jovens adultos, e a bruxa, uma conhecida doceira chamada Katherina Schraderin. Mas tudo, é claro, não passava de lorota.)

Os acontecimentos reais que os especialistas buscam são mais genéricos. Quando historiadores e folcloristas analisam os textos e suas versões mais antigas, observam o que foi mudando ao longo do tempo e daí tiram pequenos rastros de história real. Geralmente, o que se conclui a partir dessa análise são hábitos e costumes; no máximo, algumas tradições e a mentalidade de seus tempos. É como se tentassem enxergar o pano de fundo das histórias e as regras gerais que ditavam a sociedade — não os atos individuais ou personagens específicos.

No caso de João e Maria, historiadores procuram descobrir se o abandono de crianças em florestas era comum, por exemplo, mas não se preocupam em encontrar uma casa feita de doces. Isso vale para todas as histórias. Nenhum pesquisador quer saber qual seria a raça do Gato de Botas ou em que praia a Pequena Sereia saiu do mar.

O trabalho é parecido com o de um arqueólogo que encontra um ossinho perdido no meio dos restos de um enorme esqueleto. O desafio é tirar sentido desse pedaço, ver onde ele se encaixa e tentar achar uma explicação para sua origem evolutiva. Para Robert Darnton, historiador e professor da Universidade Harvard, quando se olha para os contos de fadas, não se encontram registros fotográficos do passado, mas um retrato do que os historiadores já conseguiram concluir a partir de suas pesquisas. A lógica é invertida.

Assim, quando um pesquisador estuda os contos de fadas, ele consegue entender melhor como era viver nos séculos passados. Os elementos históricos estão todos lá: as narrativas falam de príncipes e princesas (que realmente existiam), de camponeses (também reais), dos muitos filhos de cada casal (o que era comum), de pobreza, miséria e fome (constantes na vida das classes mais baixas) e, finalmente, da vontade dos pais de se verem livres de alguns dos filhos (o que chocantemente também acontecia). Os próprios irmãos Grimm escreveram no prefácio de seu livro que as histórias que eles coletaram eram tão comuns que muitas pessoas já haviam passado pelas situações que elas descrevem. E os acontecimentos que eles citam como comuns são assustadores: "Os pais não têm mais alimento e, diante da miséria, precisam banir seus filhos, ou uma madrasta rígida os faz sofrer ou gostaria que morressem. E há os irmãos abandonados na solidão da floresta".[37] Isso indica que, na época em que os contos de fadas foram publicados, no ano de 1812, a ideia de abandonar alguém na floresta ou banir os filhos para sempre ainda povoava a mente das pessoas. Ou seja, pode de fato ter havido crianças abandonadas nas florestas do passado.

## VIDA DURA E FAMINTA

A vida na Europa entre os séculos XIV e XVII não era feita de pão de ló. As famílias mais pobres não tinham muitas maneiras de juntar dinheiro na sociedade estratificada da época e precisavam tirar o sustento da terra. No geral, havia uma minoria de nobres e ricos — que não compunham nem 10% da população — e uma imensa massa de miseráveis abaixo deles. (Nesse ponto, não se diferencia tanto assim dos nossos tempos.) O trabalho no campo era torturante: famílias inteiras suavam juntas desde o nascer do dia e viviam totalmente à mercê das condições do clima e do solo para poder contar com um jantar no fim do dia.

Como ter filhos era uma forma de aumentar a produtividade do campo — e porque não havia nenhuma maneira eficiente de evitá-los —, as mulheres tinham oito, nove, dez crianças. A taxa de mortalidade infantil era considerável. Se, na França do século XVIII, 45% das crianças não passavam dos dez anos, é fácil imaginar como eram piores ainda os séculos anteriores. Na Normandia do século XVII, um quarto dos bebês não passava do primeiro ano de vida — e essa estatística não deveria ser diferente no resto da Europa. São números muitos maiores do que a mortalidade infantil do país com a taxa mais alta atualmente, Serra Leoa, que fica em 18%.

Ainda assim, as famílias tinham filhos como as de hoje têm sapatos: o que poderia ser um grande problema se a colheita do ano não fosse satisfatória. Alimentar tantas bocas era o drama de muitos pais. E houve épocas ainda em que a ameaça da fome era real e batia à porta com o prato vazio. Por exemplo, entre 1560 e 1660, o clima foi especialmente ruim na Europa central, o que quer dizer que todas as gerações que viveram nesse período passaram a vida temendo não ter o que comer. Na Prússia, no pedaço que hoje abrange o norte da Alemanha e a Polônia, a fome foi tanta entre 1708 e 1711 que 41% da população sucumbiu, ou cerca de 250 mil pessoas morreram de fome. Duas grandes fomes também atropelaram a França entre 1693 e 1710, matando mais de 2 milhões de pessoas. Nessa época, as pessoas recorriam a restos de animais e miúdos que os curtumes descartavam para se alimentar, e não era incomum encontrar corpos mortos com as bocas cheias de grama nos descampados.

Não é à toa, então, que tantos contos de fadas incluam passagens de escassez extrema em seus enredos. A sensação de barriga vazia transparece em toda parte. E, em muitos enredos, o maior sonho dos protagonistas é ganhar comida. Repare como, na maioria dos casos em que um personagem de contos de fadas é agraciado com a ajuda de um ser mágico e ganha o direito de fazer pedidos, é comida o que mais pede. Isso acontece em *Serve-te, mesinha, burro de ouro e porrete de ouro*. Nesse conto de título enorme, o filho mais velho de um sapateiro é abençoado com uma mesa que se põe sozinha a qualquer momento, com pratos de prata, vinho e as comidas mais deliciosas que ele já viu.

Também é o caso de um conto dos irmãos Grimm chamado *O mingau doce*, no qual uma menina faminta encontra uma feiticeira na floresta que a presenteia com uma panela mágica. Era só fazer um pedido que a panela produzia um mingau doce delicioso. Quando a mãe da menina viu o utensílio, pediu-lhe que começasse a cozinhar. Mas ela não sabia fazer a panela parar e então o mundo inteiro acabou soterrado debaixo de mingau. "Quando elas quiseram voltar para casa e passar pela cidade, elas tiveram de abrir caminho comendo", termina o conto, tal qual um sonho maravilhoso para os famintos.

E barriga vazia também é o assunto de *João e Maria*. Afinal, os irmãozinhos encontram a utopia de toda criança faminta dos séculos passados (e também dos atuais): uma "casinha toda feita de pão, coberta com bolo e cujas janelas eram de açúcar bem branco".[38] Uma delícia. Indo um pouco mais longe na simbologia da comida, há quem tenha reparado que quase não existem citações de personagens comendo carne nos contos de fadas. Isso também pode ter sido inspirado na vida real de quem contava as histórias e nas refeições da população comum, que geralmente consistiam em uma papa feita de pão com água, reforçada de vez em quando com algum legume.

O consumo de carne na Europa sofreu uma queda entre os séculos XV e XVI, especialmente no sul do continente. O aumento da população, aliado à lenta evolução tecnológica nos campos, fez com que os europeus se rendessem a uma forçada dieta vegetariana. Estima-se que um francês comum comesse apenas 23 quilos de carne por ano na época da Revolução Francesa. Na Alemanha, a carne sumiu dos pratos: se um alemão médio comia cerca de cem quilos de carne por ano no final da Idade Média, no século XIX a quantidade havia caído para cerca de vinte quilos. (Atualmente, a média no Brasil é de aproximadamente 90 quilos por habitante ao ano.) Assim, a dieta vegetariana foi parar também nos contos.

Nas histórias, a proteína animal só dá as caras em ambientes mais ricos, dentro de castelos ou em refeições de príncipes e rainhas. Quando alguém come carne nas narrativas, é a humana que aparece com mais frequência: Chapeuzinho Vermelho devora a vovozinha nas versões antigas do conto; a mãe malvada de Branca de Neve pede ao caçador que lhe traga o pulmão e o fígado da princesa para que ela possa comê-los; e na menos famosa *O noivo bandido*, uma mulher descobre que o futuro marido é um ladrão psicopata quando o vê matando e desmembrando uma bela virgem para depois salgá-la para o jantar. Ou seja, fome, comida e canibalismo vira e mexe dão as caras nos contos de fadas.

O historiador estadunidense Eugen Weber, da Universidade da Califórnia, era um grande defensor de que seria possível tirar fatos da vida real das narrativas folclóricas. Ele conta um desses casos de Joões e Marias da história em um artigo sobre o assunto.

Era a vida do militar francês Jean-Roch Coignet, famoso por suas conquistas no campo de batalha, incluindo a de Waterloo, nos séculos XVIII e XIX.

Em suas memórias, o soldado descreveu a infância dura que teve: o pai teve 32 filhos de três mulheres diferentes. Jean era filho da segunda esposa e, quando seu pai se casou pela terceira vez, a nova madrasta tratava muito mal as dezenas de filhos dos casamentos anteriores, deixando-os passar fome. Jean se lembra de quando, após o pai sair para trabalhar no campo, a madrasta levou dois de seus irmãos mais novos para o meio da floresta e lá os abandonou. As crianças ficaram três dias e três noites vagando sozinhas pelo matagal. A sorte dos meninos foi que um moleiro local os descobriu e os adotou. Jean só foi saber do paradeiro dos irmãos anos mais tarde quando, já adulto, os encontrou por acaso. Assim como com os pequenos Coignet, podem ter existido muitas outras situações parecidas de mães e pais que já não sabiam o que fazer com tantos filhos.

Dá para concluir também que era comum o hábito de os pais tentarem se livrar dos filhos com base em algumas leis religiosas da época. Uma delas, por exemplo, proibia as mães de dormirem na mesma cama com bebês de até um ano. Esse regulamento foi criado para evitar que mães sufocassem "sem querer" os bebês durante o sono. Se havia uma lei proibindo esse comportamento, era porque casos de infanticídio durante a noite deviam acontecer com frequência. E, sendo tão frequentes, é de imaginar que nem todos fossem acidentes.

Tudo isso não quer dizer, no entanto, que não houvesse também algumas bruxas carnívoras no meio da floresta.

## O GOSTO DOS OUTROS

Erzsébet Báthory era uma mulher à frente de seu tempo. Nascida na Hungria em 1560, veio ao mundo como um espécime raro. Contra os costumes da época, foi educada como homem: sabia ler e escrever, falava húngaro, grego, latim, alemão e eslovaco, e se interessava por astronomia, biologia e botânica. Também preferia as "brincadeiras de menino" e passava os dias aprontando nos jardins do castelo em que passou a infância. Mas, como toda menina nascida em berço de ouro — e o de Erzsébet era respeitável: uma das famílias mais ricas e tradicionais da Hungria —, aos doze anos ela acabou prometida para se casar com Ferenc Nádasdy, outro herdeiro igualmente rico e influente. O que se seguiu, então, foi um casamento de conveniência.

Juntos, tiveram cinco filhos, dos quais três morreram. O marido passava mais tempo fora de casa, liderando avanços militares, do que com a mulher e os filhos. Até que um dia Ferenc morreu. Foi a partir daí que a história da condessa Báthory começou a ser escrita e acabou conhecida até os dias de hoje. Começou com um primeiro corpo de criança, que foi visto num caixão saindo do castelo de Erzsébet. Quando perguntada de onde tinha saído aquela menina, a nobre respondeu: "Foi um caso de cólera". A ele se seguiram outros cadáveres: todos de servos da propriedade, todos de meninas entre dez e catorze anos, e todos com marcas de violência terríveis. Alguém estava matando e torturando aquelas crianças.

O que antes era um dos lares mais respeitados da Hungria se transformou numa história de terror. A condessa aliciava meninas da região com promessas de emprego, dinheiro e comida farta, mas, assim que elas chegavam ao palácio, as aprisionava em câmaras secretas. O que acontecia com elas em seguida eram sempre variações do mesmo tema: tinham os dedos e os membros cortados, eram queimadas nas mãos e nos pés, apanhavam, e nacos de sua carne eram arrancados — às vezes pelos próprios dentes da condessa e às vezes para elas mesmas comerem.

As lendas são tantas que ela entrou para a história como uma das maiores psicopatas do mundo. Além da macabra crueldade, o mundo conhece a condessa de Báthory pelo mito de que ela se banhava no sangue de meninas virgens para, em meio a uma crise de meia-idade, se manter sempre jovem — não muito diferente da madrasta de Branca de Neve —, o que jamais foi comprovado.

O que não era mito eram os hábitos de bruxa da nobre: tal qual a vilã de *João e Maria*, Erzsébet praticava feitiçaria: produzia poções, elaborava feitiços e tramava planos para matar Mátyás II, o rei húngaro e da Boêmia. A condessa só sucumbiu vítima de sua própria arrogância. Quando começaram a faltar servidores nos vilarejos ao redor para matar, Báthory criou uma espécie de liceu para jovens mulheres aprenderem a se comportar. A nobreza então mandava suas rebentas ao lar da condessa — apenas para que a psicopata as matasse também. Mas, assim como nos dias de hoje, era mais difícil escapar de um crime se ele fosse cometido contra os ricos e poderosos. Matar as filhas da nobreza foi a gota d'água para que as autoridades prendessem Báthory e a emparedassem viva dentro do próprio castelo. A história credita 650 mortes a ela, embora o número mais provável seja umas centenas menos — o que já é terrível o suficiente.

Erzsébet Báthory, também conhecida como Isabel ou Elizabeth Báthory, é uma das *serial killers* mais famosas da história. Ela ajudou a criar a lenda dos vampiros pelo fato de morder suas vítimas e porque morava pertinho da Transilvânia. Foi comparada à madrasta de Branca de Neve graças à sua suposta obsessão por se manter jovem a qualquer custo, mas também costuma ser citada como uma bruxa comedora de crianças da vida real, como a de João e Maria. Báthory é o nome mais mencionado quando alguém quer exagerar a ocorrência de bruxaria nos séculos passados. Ainda assim, é óbvio que ela não tenha servido de material bruto para nenhum conto de fadas em especial. E, embora tenha se tornado a canibal sanguinária mais conhecida da história, não foi a única. Houve milhões de outros canibais na Europa entre os séculos XVI e XVII, e a maior parte deles era gente bem mais comum que Erzsébet Báthory.

## Antropofagia é coisa de europeu

Ao analisar os elementos que contribuíram para formar a história de *João e Maria*, talvez o canibalismo seja o mais bem registrado na história europeia. Tudo graças a um estranho hábito medicinal que permeou o continente nos séculos passados. Se levarmos ao pé da letra, provavelmente nunca se ingeriu tanta carne e outras partes do corpo humano quanto nesse período.

Não tem para ninguém: apesar de serem conhecidos por seus rituais de sacrifício humano seguidos por alguma ingestão ritualística, maias, astecas e outros povos pré-colombianos, como os xiximes, eram amadores perto da quantidade de cadáveres humanos que foram preparados e consumidos no Velho Mundo. Os indígenas brasileiros tupinambás e uaris levaram a fama quando naturalistas chegaram aqui e testemunharam rituais canibais, mas também perdiam de longe para os colonizadores que os observavam chocados. Os especialistas em preparar e ingerir outras pessoas eram os povos do Primeiro Mundo.

Antes de entender o que aconteceu por lá naqueles tempos, é bom deixar claro que não se tratava de grandes churrascos de carne humana. Os europeus não matavam uns aos outros para se alimentar. Havia, é claro, casos isolados em que um faminto morador de rua sem casa nem comida — milhares deles habitavam os campos e florestas franceses no século XVIII — atacava um transeunte desavisado. Outros casos, um pouco mais compreensíveis, embora igualmente indigestos, aconteciam em períodos de grande estiagem e fome: as pessoas morriam de causas naturais e acabavam devoradas pelas sobreviventes que vagavam em busca de comida. O canibalismo é relatado em quase todos os grandes períodos de guerra ou conflito — da Antiguidade aos tempos modernos, da América do Sul ao sudeste da Ásia.

Graças a essas ocorrências abomináveis, o hábito de comer outros seres humanos permeava o imaginário e as culturas dos séculos passados. Para ficar apenas no continente que serviria de inspiração para os contos de fadas, há um relato famoso num romance cavalheiresco sobre o rei inglês Ricardo I, o Coração de Leão. O episódio narra como o líder da Terceira Cruzada, um verdadeiro herói britânico, depois de invadir a Terra Sagrada, adoeceu e sentiu que sua saúde só se recuperaria se comesse um bom assado de porco. Como a bisteca estava em falta nos acampamentos fiéis, os cozinheiros resolveram escolher um inimigo rechonchudo, um muçulmano, e prepará-lo com farinha, temperos e açafrão. O rei nem notou a diferença: comeu a carne e roeu até os ossos, até que alguém o esclarecesse da origem da iguaria. Nem um pouco impressionado, Ricardo Coração de Leão exclamou: "O quê? Carne de sarraceno é boa assim? E eu não sabia disso? Por Deus, nós nunca mais sentiremos fome ou falta enquanto matarmos sarracenos!".[39]

Entre as referências literárias mais populares à antropofagia, há também um episódio de uma obra de William Shakespeare parecido com alguns contos de fadas. *Tito Andrônico* é uma das peças mais violentas do escritor e narra uma sequência atordoante de assassinatos, mutilações e um estupro. O pai da donzela estuprada, Tito, resolve se vingar dos criminosos: mata-os, cozinha-os em fogo baixo, prepara uma torta com a carne dos homens e depois a serve para a mãe deles comer. Assim:

> Tito: Sabeis que vossa mãe vem banquetear-se comigo, daqui a pouco ⟦...⟧. Ouvi-me, celerados! Vossos ossos vou reduzir a poeira, que no sangue misturada uma pasta me forneça com que uma torta aprontarei de vossas cabeças infamantes, para, logo, dizer àquela prostituta, vossa maldita mãe, que, como a própria terra, devorar venha os filhos.[40]

A narrativa é parecida com a do conto *O pé de zimbro*, no qual uma madrasta mata, cozinha e serve o enteado para o marido, como vimos no capítulo 2.

Mas, voltando à vida real, o canibalismo acompanha a história humana antes mesmo de ela ser humana. Casos de antropofagia são mais antigos do que a nossa própria espécie. Arqueólogos descobriram que nossos ancestrais pré-históricos bem que curtiam comer uns aos outros. Foram encontrados ossos humanos com marcas de dentes em padrões muito parecidos com os achados em ossos de animais — sinal de que algum ancestral nosso andava roendo restos de carne humana. Também foi encontrado sangue humano em panelas pré-históricas e nas fezes fossilizadas de nossos ancestrais. O hábito de comer pessoas devia ser bem mais comum do que imaginamos: há até resquícios no nosso genoma moderno que podem ser defesas contra doenças causadas pelo canibalismo. Em tempos de dureza, não é difícil imaginar nossos antepassados — ou qualquer pessoa que o valha — recorrendo à fonte de energia mais próxima disponível: inimigos ou vizinhos mortos, por exemplo.

## CHÁ DE MÚMIA

Assim, considerando literatura, cultura e arqueologia, não é de estranhar que uma grande febre antropofágica tenha se espalhado pela Europa no começo da época moderna. O carro-chefe do canibalismo vinha de procedimentos médicos. Naqueles tempos, começou a circular a crença de que restos mortais de pessoas podiam fazer bem à saúde. A origem desse hábito provém dos romanos. Já no século I a.C., acreditava-se que uma eficiente cura para a epilepsia seria a ingestão do sangue de alguém que tivesse morrido de forma violenta. Rapidamente, apareceram casos de pessoas que esperavam as disputas de gladiadores acabarem para se jogar na arena e sugar o sangue do recém-assassinado. Às vezes, elas se serviam de um naco do fígado do morto, que, diziam, também ajudaria na cura da epilepsia. Nascia, assim, um costume que resistiria por um milênio e meio.

Na Europa, a moda começou um pouco mais sofisticada ainda no século XI e chegou a seu auge quatrocentos anos depois. Ricos e influentes começaram a tratar todo tipo de mal — de epilepsia a gota, passando por qualquer outra doença — com um remédio extraordinário que vinha do Oriente: elixir de múmia. A receita do elixir era simples. Bastava pegar um punhado de múmias encontradas em tumbas egípcias e cozinhá-las em água quente até subir um óleo à superfície. Essa substância então era armazenada e vendida nos lares europeus. Logo o remédio tornou-se tão popular que a demanda de múmias aumentou consideravelmente (é de espantar que ainda tenham sobrado algumas até os dias de hoje). Mas isso não desencorajou os antropófagos europeus. Em pouco tempo, qualquer parte do corpo humano, de qualquer origem, começou a ser usada para a cura dos mais diversos males.

A lista é infinita. Carne humana era aplicada em ferimentos e sangramentos para ajudar na cicatrização — mas não da forma como alguém coloca um bife em um olho roxo. Antes de virar remédio, a carne humana tinha de ser preparada: era seca e pulverizada, e só então podia entrar em contato com a ferida. Essa mistura, aliás, também era usada para diarreia. Contra convulsões, havia outro produto favorito da indústria farmacêutica da época: crânios humanos. Mas não valia qualquer pedaço da nossa cachola — o lugar mais indicado para virar medicamento era o topo da cabeça. De novo, para fazer efeito, o osso tinha de virar pó num lento e complicado processo de fabricação. Gordura humana virava óleo contra reumatismo, feridas, câncer de mama e depressão. E por aí vai.

A diferença essencial entre esse tipo de ingestão medicinal e o que entendemos como canibalismo é a origem da matéria-prima cadavérica. Em vez de matar alguém, os europeus do começo da época moderna procuravam quem já estivesse morto — de preferência alguém jovem — para usar como remédio.

Documentos ensinavam onde encontrar material para os medicamentos. O ideal era escolher o corpo de alguém que tivesse sofrido morte violenta para que nenhuma doença contaminasse a pessoa que o ingerisse. Geralmente, os cadáveres disponíveis eram os de prisioneiros executados por crimes. Entre os assassinados, os enforcados eram os mais procurados porque, de acordo com a "ciência" da época, quando uma pessoa morria estrangulada, os "espíritos vitais" iam direto para a cabeça. Isso tornaria o crânio desses indivíduos especialmente embebedados de poderes de cura — ótimos para virar pó e remédio. Por isso, quase só havia cadáveres masculinos à disposição, já que o número de mulheres condenadas à morte era menor — o que acabava valorizando a matéria-prima feminina.

Em pouco tempo, começaram a surgir os manuais de instrução que ensinavam a preparar um bom cadáver humano, como o do médico alemão Oswald Croll. Escrevia ele: "Escolha a carcaça de um homem inteiro, limpo e sem marcas, de 24 anos de idade, que foi enforcado, quebrado na roda ou morto na lança, depois de ficar exposto por um dia e uma noite ao ar livre em tempo ameno".[41] Em seguida, a carne devia ser cortada em pedaços pequenos, temperada com mirra e babosa e marinada em vinho. Depois de seca e defumada, estava pronto o medicamento infalível.

A receita para preparar cérebros, que também servia para tratar epilepsia (nome usado para os mais diversos males), é ainda mais asquerosa. Ela foi anotada pelo anatomista inglês John French, que escreveu em 1651 o seguinte: "Pegue o cérebro de um homem jovem que sofreu morte violenta, junto com as membranas, as artérias, as veias, os nervos e os tecidos da coluna, e amasse-os em um pilão de pedra até que se tornem papa".[42] Então, acrescente uma boa dose de vinho, de maneira que a massa fique imersa em três ou quatro dedos. Coloque tudo numa jarra e deixe "digerir" (o termo é dele) por meio ano com esterco de cavalo. E *voilà*: outro medicamento milagroso — não muito diferente das poções mágicas narradas nos contos de fadas.

Não se sabe ao certo de onde surgiu a crença de que comer ou se besuntar com outras pessoas poderia curar doenças. Talvez tenha origem ritualística, parecida com a cerimônia realizada em certas populações indígenas da Amazônia, baseada na ideia de que ingerir o corpo do inimigo, ou de alguém jovem, pudesse transferir as características do morto — coragem, beleza e até mesmo saúde — para o doente. Isso explicaria a ressalva em se procurar os restos mortais de alguém que tenha morrido de morte violenta: se ela morreu de agressão, não estaria doente e, logo, não passaria nenhum mal adiante.

Outra explicação para o fato de ninguém achar estranho o hábito de tomar sangue dos outros ou ingerir pílulas de crânio pulverizado pode ter vindo do maior best-seller de todos os tempos. A Bíblia narra o caso de antropofagia mais conhecido de que se tem notícia — ainda que de forma simbólica: "Jesus tomou o pão e, abençoando-o, o partiu, e o deu aos discípulos, e disse: 'Tomai, comei, isto é o meu corpo'. E, tomando o cálice, e dando graças, deu-lhos, dizendo: 'Bebei dele todos; porque isto é o meu sangue'", escreveu Mateus em 26-28.

No caso mais famoso de canibalismo moderno, o do time de rúgbi uruguaio que caiu de avião nos Andes em 1972, os sobreviventes também usaram a Bíblia para justificar por que comeram os restos mortais de seus amigos para sobreviver. Católicos fervorosos, eles usaram a religião para aliviar a consciência por terem feito o que, em condições normais, parece atroz. Dos 45 passageiros do avião que os levaria para o Chile, 26 morreram — na queda, de frio, de fome ou de uma avalanche de neve que os pegou desprevenidos. Os outros 19 só sobreviveram 72 dias no alto das montanhas por terem ingerido carne humana.

Assim, para um católico dos séculos passados, talvez também não soasse a coisa mais bizarra do mundo tomar, literalmente, o sangue de alguém. Metaforicamente, eles já fazem isso a cada comunhão. E podemos também considerar que os conceitos de higiene da época não fossem os mesmos que os nossos: sem esgoto e água corrente, quase tudo o que se ingeria vinha contaminado com sujeira, dejetos humanos e animais etc.

Por qualquer motivo que fosse, fato é que a moda pegou de verdade. Mesmo quando os mais ilustres e famosos ficavam doentes, era à medicina cadavérica que os especialistas recorriam. O papa Inocêncio VIII não foi exceção. Em 1492, ele estava em seu leito de morte. Os médicos mais famosos do papado foram chamados para tentar curá-lo. Um dos recursos pouco ortodoxos tentados foi usar o sangue de três jovens rapazes para reanimar o pontífice — a instrução era tomar o líquido recém-extraído. Os voluntários seriam recompensados pelo líquido valioso, mas a sangria foi tanta que os três acabaram morrendo. O mesmo destino teve Inocêncio VIII alguns dias depois: morreu no fim de julho do mesmo ano.

Mas, antes que torçamos o nariz e fiquemos horrorizados com os franceses, ingleses, italianos e seu gosto pela carne dos outros (ou antes que alguém tente fazer o mesmo em casa), convém lembrar que a medicina dos séculos XI a XVI mal poderia levar esse nome. Os procedimentos canibais eram tudo menos eficientes — isso quando não faziam mal. Não há nenhum indício de que qualquer um desses remédios fizesse efeito. Os médicos da época não eram cientistas, no conceito moderno da palavra. Não faziam experimentos nem testes de eficácia dos medicamentos. Pelo contrário, toda a teoria era baseada em livros da Antiguidade e em relatos de casos distantes. Na verdade, os curandeiros da época tinham fortes relações com a alquimia e cumpriam uma função muito mais parecida com a de feiticeiros do que com a de médicos. Muitos deles eram católicos e misturavam descobertas médicas com escritos religiosos ou crenças místicas. Aplicavam os remédios e rezavam para que fossem bem-sucedidos.

A própria medicina era recheada de magia. Naqueles tempos, fé e ciência se misturavam muito mais amigavelmente do que hoje em dia. Acreditava-se que objetos podiam curar ou carregar características de pessoas que os tocassem — crenças muito parecidas com as encontradas em dezenas de povos indígenas ao redor do mundo até hoje. Não é de estranhar que existissem histórias sobre alimentos encantados, como a maçã envenenada da Branca de Neve, os feijões mágicos de *João e o pé de feijão* ou casas feitas de doces, como em *João e Maria*. Bruxaria e poções mágicas eram conhecidas do dia a dia de quase todas as pessoas. No mundo real em que feitiçaria fazia sentido, em que comer um condenado à morte trazia alento e em que médicos eram magos, é perfeitamente compreensível existirem histórias como os contos de fadas. Seres fantásticos e bruxas comedoras de criancinhas cabiam muito mais no mundo deles do que no nosso.

# Capítulo VII

## BRANCA DE NEVE, AS BRUXAS E A TORTURA

"*Contos de fadas não ensinam às crianças a primeira noção de bicho-papão. O que eles ensinam é a primeira noção de que o bicho-papão pode ser derrotado. O bebê conhece o dragão desde que tem uma imaginação. Os contos de fadas dão o São Jorge para matá-lo.*"

G. K. Chesterton, *Tremendous Trifles*, 1909

ra uma vez, em uma terra distante e próspera, um rei muito poderoso. Seu reinado durava já muitos anos, mas ele continuava sem se casar, o que preocupava os conselheiros e nobres da corte. Assim, quando chegou a hora de encontrar uma esposa e garantir a continuidade da linhagem real, o rei foi prometido a uma bela princesa do reinado vizinho. Mas a história de amor custou a se realizar. A princesa, que deveria ir ao encontro do rei de barco, foi impedida por forças estranhas de se juntar ao amado. Todas as vezes que tentava embarcar, uma enorme tempestade se formava no céu, a chuva se acumulava intensa e a moça era impedida de encontrar seu amor. Logo correu pelos reinados o boato de que bruxaria estava impedindo o casamento. O valente rei não hesitou diante da ameaça: juntou trezentos de seus mais corajosos cavaleiros e pessoalmente embarcou para salvá-la. Assim que se viram frente a frente, decidiram casar-se numa festa exuberante que se estendeu por quase um mês. Mas, quando tentaram voltar para casa, a feitiçaria voltou a atacar e novas tempestades se formaram no céu. A muito custo, e depois de meses de tentativas, o casal conseguiu retornar para o reino. O rei ficou furioso com o contratempo e tratou de buscar vingança. Investigou pessoalmente os responsáveis pelo feitiço e os encontrou: eram bruxas poderosas que se reuniam em ruínas de igrejas e conspiravam com o demônio para atrapalhar o casamento real. O monarca foi impiedoso. Matou setenta feiticeiras de uma só vez e levou uma delas para o palácio para servir de exemplo. Lá, a feiticeira foi pendurada pela cabeça e enfiaram pontas de metal em sua língua, antes que a enforcassem e a queimassem viva. O rei viveu feliz para sempre com sua rainha, e seu poder não parou de crescer até o fim dos dias.

Essa história seria apenas mais um sangrento conto de fadas se não tivesse acontecido de verdade. Ela ocorreu em 1591. O rei poderoso era Jaime VI, da Escócia, que acabaria virando Jaime I da Inglaterra depois da morte da rainha Elizabeth I. Sua noiva e princesa era Ana, da Dinamarca, que realmente teve frustradas suas tentativas de se encontrar com o amado por causa de terríveis tempestades. Eles se casaram em 1589 na Noruega. Também é verdadeira a explicação que o monarca e seus ajudantes encontraram para os incidentes: bruxaria. Assim como grande parte das pessoas comuns, Jaime acreditava na existência de feitiçaria e era fascinado pelos poderes ocultos — gostava tanto do assunto que escreveu de próprio punho um livro sobre o tema, o *Daemonologie*, no qual incitava a caça às bruxas. O rei costumava se empenhar pessoalmente em fazer com que bruxas e feiticeiros fossem levados à Justiça e não ia deixar passarem batidas as infelizes coincidências que cercaram seu casamento. As condenações pelo crime realmente aconteceram. A mulher que acabou como bode expiatório do infortúnio era Agnes Sampson, uma parteira local, que foi levada ao palácio para dar satisfações. Torturada e ferida, Agnes confessou os crimes que haviam sido atribuídos a ela e ainda acusou outras mulheres de terem participado da conspiração.

O episódio da tempestade que impediu o casamento real foi cair no colo de Agnes por uma série de infelizes coincidências. Logo de cara não havia nenhum suspeito óbvio para o boicote do matrimônio. Assim, quando o rei voltou para a Escócia com a nova esposa, começou a investigar possíveis desafetos dentro da própria corte. Logo chegou a um tal de David Baine, uma espécie de segurança local que chamou a atenção do monarca. Para escapar da acusação de feitiçaria, David resolveu partir para o ataque: afirmou que sua empregada, Gillis Duncan, era uma feiticeira poderosa.

Gillis, além de faxineira, era uma habilidosa curandeira que havia salvado a vida de diversas pessoas por meios "milagrosos", um fato que por si só já parecia suspeito. (Ao que tudo indica, David estava irritado com Gillis porque ela andava dando uns sumiços de noite, e por isso a acusou.) Sua habilidade como médica acabou chamando a atenção e ela foi interrogada e torturada para confessar a magia contra o rei. Depois que seus dedos foram esmagados e a cabeça, amarrada, ela acabou entregando outras mulheres, provavelmente os primeiros nomes que vieram à mente, entre os quais Agnes Sampson.

Agnes era a típica pessoa que costumava ser acusada de feitiçaria no século XVI: mulher, viúva, de idade avançada, com algum conhecimento médico — ela era parteira, afinal. Assim como Gillis, a senhora foi torturada e teve os pelos do corpo raspados. Depois de diversas sessões, ela acabou confessando que se reunia com muitas outras bruxas, por vezes duzentas delas, para dançar, beber, celebrar e beijar o traseiro do Diabo. Depois de mais algumas rodadas de tortura, Agnes admitiu ter boicotado o casamento real. Confessou ter enfeitiçado um gato com a ajuda do Diabo e amarrado diversos pedaços de um homem morto no felino. Ao final, teria jogado o bichano ao mar para convocar a tempestade que acabaria atrasando a volta do rei com sua rainha. O resultado foi o que seria de se esperar. Além de Agnes, cerca de outras setenta pessoas foram executadas por feitiçaria e conspiração com o demônio, nos julgamentos conhecidos hoje como os de North Berwick, uma cidade no leste escocês.

Os acontecimentos descritos aqui são trágicos e difíceis de acreditar nos tempos atuais, considerando-se que deles faziam parte reis, altas cortes judiciárias e elementos tão implausíveis para os nossos olhos como pactos com o Diabo e magia negra — sem falar das imorais torturas e execuções.

Mas o caso se torna ainda pior se levarmos em conta que ele foi apenas um dos milhares de julgamentos e assassinatos que aconteceram na Europa durante os séculos XVI e XVII, no período conhecido como "caça às bruxas". Quando lemos contos de fadas, com suas personagens maldosas, velhas e mágicas, quase nunca nos lembramos do fato de que elas, as bruxas, realmente existiram. Bruxas, ao contrário de fadas-madrinhas, casas de pão de ló e feijões mágicos, não eram histórias da carochinha. Eram pessoas com nome, endereço, família e profissão. E que foram mortas aos milhares.

Nas coletâneas de contos, é difícil encontrar uma história que não conte com a participação especial de pelo menos uma senhora maldosa como vilã. *Branca de Neve*, *A Bela Adormecida*, *Rapunzel* e *João e Maria* não poderiam existir sem elas. De tanto que aparecem nas histórias, os contos de fadas bem que poderiam se chamar *contos de bruxas*, já que há muito mais dessas mulheres malignas nas narrativas do que de pequenos serezinhos encantados com asas.

A maioria das histórias tem alguma vilã maldosa que faz de tudo para atrapalhar, matar — ou comer vivo — o herói. Mesmo que não seja chamada de "bruxa" diretamente, a vilã quase sempre tem o perfil de uma feiticeira: mulher velha e maldosa, que pode vir em forma de ogra, de madrasta ou de sogra. Para folcloristas e estudiosos de contos de fadas, todas essas mulheres representam o mesmo papel. "Rapidamente, fica claro que as madrastas, as cozinheiras más, as bruxas e as sogras são nomes diferentes para uma só vilã cujo objetivo é expulsar a heroína do lar e impedir sua ascensão das origens humildes para um status mais nobre", escreve a pesquisadora Maria Tatar em seu livro *The Hard Facts of the Grimms' Fairy Tales* [Os fatos reais dos contos de fadas dos irmãos Grimm].[43]

Nos livros, o poder das bruxas é sempre enorme. Não há milagre ou feitiço que seja complicado demais para elas. Em *João e Maria*, a bruxa idosa consegue transformar sua cabana amaldiçoada em uma casa feita de doces apenas para atrair criancinhas inocentes. Em *Branca de Neve*, a madrasta se transfigura em velhinha para oferecer uma maçã envenenada à enteada — e consegue colocá-la em um estado catatônico de quase morte. E em *Irmãozinho e irmãzinha*, um conto menos conhecido dos irmãos Grimm, a bruxa, que é também a madrasta dos protagonistas, transforma o irmãozinho em uma corça e mata a irmãzinha para botar a filha biológica dela no lugar da princesa.

Quando contamos às crianças histórias sobre feiticeiras todo-poderosas, é engraçado pensar que as bruxas da vida real estavam longe de ser influentes ou respeitadas. As pessoas que foram condenadas e executadas por bruxaria mal tinham poder algum. Mal participavam da sociedade, aliás. As bruxas que realmente existiram não tinham nada a ver com as dos livros — e é importante conhecer suas histórias.

# Caça às bruxas

A população do vilarejo de Annecy, no sudeste da França, estava apavorada. Certo dia de 1585, alguns habitantes começaram a reparar em estranhos gritos que vinham das proximidades de uma ponte local e correram para ver o que estava acontecendo. Logo perceberam que os gritos e gemidos vinham de uma maçã que estava pendurada em uma árvore bem ao lado da ponte. A cidade inteira foi ver a fruta enfeitiçada e ninguém sabia como fazer a barulheira parar. Foi apenas quando um homem mais corajoso se apoderou de um galho comprido e derrubou a maçã no rio que o silêncio voltou a reinar no vilarejo.

A anedota acima foi registrada como fato histórico em 1590 por Henri Boguet, um renomado jurista francês. Ele ficou famoso por relatar com detalhes o caso de dezenas de bruxas do final do século XVI, descrevendo suas feitiçarias e malvadezas e a maneira como foram executadas. Para ele, não havia nenhuma estranheza no fato de uma maçã estar berrando do alto de uma árvore — era notório o hábito das bruxas de usar objetos inanimados para enfeitiçar humanos. "Não há dúvida de que esta maçã estava cheia de demônios e que uma bruxa havia sido impedida [pelo morador que jogou a fruta no rio] de oferecê-la para alguém", concluiu Boguet.[44]

De fato, assim como em *Branca de Neve*, maçãs pareciam ser um dos meios favoritos para contaminar pessoas inocentes com demônios e magia negra. Em outro caso de feitiçaria que foi anotado em 1598 na Borgonha, também na França, uma suposta bruxa teria amaldiçoado uma menina de oito anos por meio de um pão enfeitiçado. O juiz que registrou o crime não estranhou o fato de o pão estar enfeitiçado, mas que a mulher não tivesse usado uma maçã, já que a fruta costumava ser o objeto tradicional das bruxas para importunar alguém.

A desconfiança das maçãs era milenar e invadiu até a Bíblia. No Antigo Testamento, quando uma cobra ofereceu um fruto proibido a Eva para tentá-la e levá-la, com seu parceiro Adão, à perdição, logo se convencionou que ambos haviam degustado uma maçã, embora o texto sagrado não faça referência ao tipo de vegetal. Pouco importava. A fruta já carregava o mau estigma. Havia séculos, a maçã tinha fama de portadora de feitiços — o que acabou se refletindo nos casos de bruxaria anotados durante a Inquisição. Foi com base em toda a mitologia do pecado original em forma de hortaliça que Branca de Neve também acabou contaminada por uma maçã envenenada — oferecida por, é claro, uma bruxa má. Somando a história bíblica aos "casos reais" de maçãs enfeitiçadas, chegamos à origem da fruta maldita de Branca de Neve.

O que é mais difícil de explicar é que juristas e intelectuais dos séculos XV e XVI não desconfiassem de vegetais falantes ou pactos com um diabo que ninguém nunca viu. Ninguém na Europa duvidava que bruxaria existia. Acreditava-se, principalmente, no conceito de *maleficium*, a capacidade de alguém de fazer o mal direcionado a outra pessoa, como num feitiço. Isso abrangia diversas técnicas malignas: uma bruxa podia rogar uma praga em cima de alguém por meio de frases ou encantos específicos, por exemplo. Ou podia preparar bonecos que representassem alguém e que pudessem ser maltratados para infligir o mal. Ou podia apenas desejar que algo de ruim acontecesse. Considerando-se que até hoje muitas pessoas acreditam em conceitos como olho gordo ou simpatias, não soa tão implausível essa crença.

Assim, como todo mundo sabia que as bruxas estavam soltas e prontas para fazer o mal, bastou apenas um pulo para que elas começassem a ser perseguidas. "Perseguidas", no caso, queria dizer "assassinadas". Milhares de pessoas foram condenados e executados por feitiçaria entre os séculos XV e XVII. Foram tantas que é até complicado estabelecer um número. Alguns pesquisadores chegaram a defender que 9 milhões de pessoas foram assassinadas, um total que hoje em dia é amplamente contestado. Para não cair em exageros, há também as estimativas mais conservadoras — que já são muitas. Com base em análises de documentos históricos (afinal a bruxaria foi ricamente documentada por cortes e tribunais locais), esses cálculos defendem que 90 mil pessoas foram julgadas por bruxaria, e cerca de metade delas, executada. Quarenta e cinco mil mortes é um número imenso para um crime que, sabemos hoje, era impossível de ser cometido. E, mais ainda, se levarmos em consideração que a maioria das mortes foi antecedida por terríveis torturas. Então como isso pôde acontecer?

## É COISA DO DIABO

Para entender como a Europa foi engolida pela mania das bruxas, é preciso compreender o que andava sucedendo com a Igreja católica naquela época. Foi a Igreja católica a instituição que iniciou a guerra às bruxas e deu fundamentos morais e jurídicos para a sua eliminação — embora a perseguição também tenha acontecido por parte das igrejas protestantes, assim como em tribunais seculares.

Curiosamente, no começo da Idade Média, o período em que o domínio da Igreja viveu seu auge, o clero não se preocupava muito com bruxaria. A fascinação só veio muito depois. Já existia, é claro, a crença na magia e em alguns tipos de práticas que depois seriam consideradas hereges, como poções ou encantos, mas elas não tiravam o sono da maioria dos bispos ou religiosos medievais. A própria Bíblia mal mencionava a existência de bruxas. A única passagem mais repressiva em relação à feitiçaria está no Êxodo, em 22,18: "Não deixem viver uma feiticeira". Foi apenas no final da Idade Média e no começo dos tempos modernos, a partir dos séculos XV e XVI, que a noção de bruxaria acabou ganhando força.

E a culpa era — de quem mais? — do Diabo.

Foi nessa época que o foco dos teólogos da Igreja católica se voltou para o cruz-credo, o demônio, o coisa-ruim, o capeta, o Satanás, Lúcifer, o Belzebu. Antes desse período, o Diabo não tinha a força que conhecemos atualmente, a do antagonista de Deus. Ele era apenas um anjo caído que havia colocado Jesus em tentação no deserto e que tivera uma ou outra participação especial no Velho Testamento. Foi apenas depois da publicação de alguns importantes estudiosos católicos medievais que a figura demoníaca ganhou o papel de principal vilão da Igreja.

Logo, difundiu-se a crença de que, assim como todo o bem do mundo vinha do Criador, todo o mal viria do demônio. O Diabo ganhou a habilidade de possuir pessoas e de comprar a alma dos humanos mais desesperados, entre outras torpezas. Pensadores católicos ficaram obcecados pela figura demoníaca. Tantos estudos e textos foram dedicados a descrever os hábitos e os poderes do Diabo que lentamente sua figura foi ganhando força. O capeta foi adquirindo poderes quase sem limites. Ironicamente, foram os católicos mais fervorosos que acabaram criando o coisa-ruim.

O demônio também recebeu uma aparência física, já que antes ele era uma entidade sem rosto. Para criar uma figura para acompanhar tantos pecados abjetos, artistas fizeram uma verdadeira colagem de referências. A aparência de bode, com chifres e cascos, veio da mitologia clássica. A principal inspiração foi o deus grego Pã, uma espécie de fauno protetor dos campos. E as asas queimadas vieram do relato bíblico do anjo caído. A imagem do Diabo foi tornando-se tão assustadora quanto as maldades atribuídas a ele. Nascia assim o demônio, o ser que ganhou o poder de levar os católicos para o mau caminho.

O Diabo chegou ao começo da Idade Moderna como o criador de uma espécie de contracatolicismo organizado. Essa, sim, era a verdadeira ameaça do coisa-ruim — e deu origem ao principal crime das bruxas. Diferentemente do que pode parecer, o grande pecado das pessoas acusadas de bruxaria não era matar pessoas ou praticar a magia em si, mas, sim, fazer pactos com o Diabo. Teólogos começaram a afirmar que as bruxas não só elaboravam feitiços ou poções de amor como também vendiam suas almas ao Satanás, encontravam-se com o demônio e faziam sexo com ele. Rapidamente, a feitiçaria, que antes seria hábito banal entre a população comum, ganhou status de grande ameaça à Igreja católica. E, como tal, foi perseguida com a maior força que havia à disposição: a Inquisição.

Os inquisitores atribuíam crimes terríveis às feiticeiras. Todo tipo de atividade amoral e obscena que se pudesse imaginar era jogado na conta delas. As acusações geralmente começavam brandas e envolviam pequenos crimes que ocorriam nos vilarejos em que as mulheres moravam. Na maior parte dos casos, elas eram levadas a julgamento pelos vizinhos por pequenos casos de *maleficium*: a morte de algum animal, a destruição da plantação, a doença de um parente, a praga que foi rogada contra alguém. Se os infortúnios fossem se acumulando ao redor de alguma senhora, ela ia pouco a pouco sendo tachada de "mau elemento". Virava uma bruxa.

Em poucas décadas as bruxas se tornaram seres sobrenaturais superpoderosos. As histórias eram as mais bizarras possíveis. Primeiro, havia a noção generalizada de que podiam voar. De acordo com os relatos, em certas noites do ano, feiticeiras levantavam voo, atravessavam o ar e apareciam em lugares distantes. Às vezes, usavam vassouras para isso — símbolos pagãos para o sexo feminino —, mas em muitos casos também voavam sozinhas. Em algumas ocasiões especiais, como o solstício de verão ou o início da primavera, acreditava-se que milhares delas se encontravam para realizar grandes festas em homenagem ao Diabo, nos chamados sabás.

Os sabás eram reuniões de bruxas nas quais os crimes mais indizíveis aconteciam. As mulheres dançavam peladas, bebiam, faziam feitiços, realizavam falsas comunhões e, claro, se amigavam com o Diabo (tudo isso sempre de acordo com os textos cristãos). As bruxas eram acusadas de manter relações sexuais com o demônio. Como a Igreja católica condenava com veemência qualquer tipo de promiscuidade e sexo fora do casamento, as acusações sobre atos carnais eram especialmente detalhadas. Havia descrições do órgão sexual diabólico: de acordo com as confissões, ele era especialmente gelado. Orgias e bacanais também eram comuns. A obsessão pelos crimes era tão grande que cada um desses atos era descrito em pormenores nas atas dos julgamentos. Muitas vezes, as orgias viravam desenhos e quadros esmiuçados — o que acabava tornando-se uma espécie de pornografia da época.

Vejamos o trecho de uma obra dedicada a descrever as atividades das bruxas, escrita por um famoso teórico político francês, Jean Bodin, em 1581. Neste excerto, uma mãe oferece a filha ao Diabo para satisfazê-lo sexualmente:

> ... aos 12 anos de idade sua mãe a apresentou ao diabo, que apareceu na forma de um homem alto e negro, vestido de preto, que usava botas com esporas, com uma espada ao lado e um cavalo preto à porta. A mãe disse a ele: "Aqui está a minha filha que eu havia prometido a você". E à filha: "Aqui está seu amigo que vai fazê-la muito feliz". Depois disso, ela renunciou a Deus e à religião, e se deitou com ele carnalmente, da mesma maneira como homens fazem com mulheres, com a única diferença de que seu sêmen era gelado. Depois, ela continuou fazendo isso a cada oito ou quinze dias, mesmo quando estava na cama ao lado do marido, sem que ele percebesse. Certo dia, o diabo perguntou se ela queria engravidar dele, e ela disse que não.[45]

Outra atividade creditada às bruxas da vida real era, tal qual nos contos de fadas, o canibalismo. Muitas delas foram acusadas de matar, assar e comer bebês em rituais macabros coordenados pelo Diabo. Outras, supostamente, causavam o aborto em mulheres grávidas desavisadas. Por isso, era comum que parteiras ou babás fossem chamadas de feiticeiras: isso explicava convenientemente de onde as maléficas tiravam bebês e crianças para matar. "Ninguém causa mais dano à Fé Cristã do que as parteiras", diz um dos manuais da Inquisição.[46] O fato de a mortalidade infantil ser extremamente alta nos séculos passados comprometia ainda mais a situação dessas profissionais — muitos dos bebês que morriam de causas naturais viravam vítimas das bruxas. O que só aumentava a perseguição.

Por toda a Europa, a crença de que feiticeiras podiam fazer — e faziam — essas maldades se espalhou rapidamente. Em algumas décadas, bruxas de todos os cantos do continente — da Alemanha à Hungria, da Espanha à Escócia — começaram a confessar terem feito pactos com o Diabo, participado de orgias e voado à noite. O que gera para nós, humanos modernos e esclarecidos, uma dúvida essencial. Se nenhum desses atos é possível na vida real — afinal, ninguém nunca viu nenhum diabo andando à solta por aí ou uma mulher voando sobre vassouras —, por que as confissões se espalharam tão rapidamente? E, se nada disso de fato aconteceu, por que todas elas começaram a admitir exatamente o mesmo tipo de crime em lugares tão distantes entre si?

Bem, a resposta está nos interrogadores.

## TORTURA NUNCA MAIS

> Deixe o juiz voltar a interrogá-la, incitando-a o tempo todo, como antes. E, enquanto ela estiver sendo erguida do solo [[pelos braços amarrados atrás das costas]], se ela estiver sendo torturada desta forma, o juiz deve ler as declarações feitas pelas testemunhas dizendo: "Veja só! As testemunhas a condenam!" [...] Finalmente, se ele perceber que ela não vai admitir os crimes, ele deve perguntar se ela está pronta para a ordália [[o julgamento pelo fogo]]. E todas as bruxas desejam isso, sabendo que o diabo não vai permitir que se machuquem.[47]

Esse trecho foi extraído de um dos livros mais cruéis já produzidos pela humanidade, o *Malleus Maleficarum*, o "martelo das bruxas". Escrito em 1486 por Heinrich Kramer e James Sprenger, dois padres alemães, é um imenso tratado sobre como reconhecer, prender, interrogar, torturar e matar bruxas. Narra casos reais de julgamentos de feiticeiras e descreve as torturas mais eficientes para revelar cada crime.

Apesar de não ter sido adotado em todo o continente europeu, nos lugares em que foi usado o livro servia como manual de instru-

ções de como lidar com bruxas. Seu objetivo era promover didatica-
mente a carnificina.

Escreve Brian Levack, historiador especialista no período de caça
às bruxas:

> O conceito de bruxaria não gerava uma crença instintiva e ime-
> diata nem entre os educados, nem entre os analfabetos. Era
> necessário dizer às pessoas que as bruxas *podiam* e *faziam* os
> diversos atos malignos de que eram acusadas. O *Malleus Male-
> ficarum* era uma ferramenta adequada para esse processo educa-
> tivo porque continha informações tiradas da experiência jurídica
> e de citações teológicas.[48]

Ou seja, quando o livro chegava a um vilarejo novo, levava consigo sempre as mesmas noções do que era uma bruxa e do que ela seria
capaz de fazer: voar, encontrar-se nos sabás, comer criancinhas etc.

A obra indicava também como as bruxas deveriam ser reconhe-
cidas e punidas. À medida que eram julgadas e mortas, seus crimes
acabavam lidos em praças públicas e a população ia acostumando-se
com a ideia de que bruxas tinham uma relação direta com o Diabo.
Isso quer dizer que os próprios julgamentos colaboraram para difun-
dir a ideia de que esse tipo de coisa poderia existir — e livros como
o *Malleus* popularizaram os julgamentos. Foi assim que a bruxaria se
tornou cada vez mais plausível. Não era magia, era tipografia.

Isso acabou uniformizando os crimes das bruxas por todos os cantos da Europa. Os *malleficium*, as poções e as orgias demoníacas eram
parecidos mesmo em países distantes porque diversos juízes e interrogadores estavam seguindo o mesmo manual — e fazendo as bruxas
confessarem sempre as mesmas transgressões.

A influência do *Malleus Maleficarum* foi importante para forta-
lecer a caça às bruxas em algumas épocas específicas, mas ele não pode
ser considerado o único responsável pelas atrocidades — a própria
Igreja católica o condenou no final do século XV. Diversos outros

livros colaboraram para que a perseguição às feiticeiras se tornasse sistemática e organizada. O estrago estava feito.

O grande problema da caça às bruxas, e o que acabou gerando número tão grande de inocentes condenados à fogueira, foi a tortura. Ela entrou nos processos judiciais de feitiçaria graças a uma autorização papal de 1252. Foi quando o pontífice de sugestivo nome Inocêncio IV permitiu que inquisidores usassem a tortura em casos de heresia, o tipo de transgressão mais grave contra os preceitos da Igreja católica. Como nessa nova versão da bruxaria as feiticeiras eram amicíssimas do Diabo, elas se tornaram uma ameaça imensa ao catolicismo. Ou seja, podiam ser condenadas por heresia. Aos olhos do clero, aliás, eram as maiores hereges possíveis. E, como tais, estavam sujeitas a torturas.

Os métodos eram os piores imagináveis, embora houvesse regras. Teoricamente, era proibido supliciar alguém mais de uma vez, assim como era vetado torturar mulheres grávidas e crianças. Havia também um método mais indicado: a suspensão, no qual uma pessoa era erguida pelos braços amarrados atrás das costas e depois puxada para baixo com pesos nos pés. Na prática, no entanto, nada disso acontecia. Todas as regras eram desrespeitadas. Principalmente a primeira delas, a proibição da repetição, era convenientemente ignorada, e as bruxas acabavam torturadas diversas vezes, repetidamente.

Os martírios eram inúmeros e diversificados. Primeiro, as acusadas eram despidas e tinham os pelos raspados. Em seguida, os torturadores vasculhavam o corpo em busca de algum sinal do Diabo — acreditava-se que o demônio deixava uma marca em seus aliados, na qual eles não sentiriam dor ou sangrariam. Por consequência, as acusadas acabavam sendo espetadas por toda parte. Esmagavam-se os dedos, os membros eram estraçalhados, os olhos furados, as orelhas arrancadas, as pessoas impedidas de dormir ou de comer, jogava-se ácido sobre elas e furava-se a coluna com pontas de faca. Para aumentar a "eficiência", os algozes continuavam as maldades pelo tempo que fosse necessário, até que a vítima confessasse tudo e qualquer coisa — e ainda indicasse nomes de supostos cúmplices.

O resultado é que todo mundo sucumbia e acabava citando nomes de conhecidos a torto e a direito. Essas outras pessoas, por sua vez, eram levadas a julgamento, torturadas e obrigadas a entregar mais nomes, em uma interminável bola de neve da barbárie. Há relatos de vilarejos em que apenas uma mulher sobreviveu para contar a história. Todas as outras foram executadas acusadas de bruxaria. Nesse sentido, o destino das feiticeiras da história e da ficção era bem parecido. Se nos contos de fadas as bruxas caíam em caldeirões fumegantes ou cheios de répteis peçonhentos, na vida real a condenação era um tanto pior (porque afinal acontecia de verdade): a maior parte delas foi queimada viva na fogueira.

O problema da tortura, além da óbvia questão moral, foi que ela alimentou a busca incessante por cada vez mais bruxas. Estudos modernos concluem que a tortura é altamente ineficiente para confissões porque gera um número incontrolável de confissões falsas, sobretudo se as vítimas não souberem do que estão sendo acusadas ou se as punições forem severas demais. Cada vez que uma mulher inocente era torturada, acabava confessando qualquer história inacreditável que o juiz sugerisse — de assar bebezinhos a manusear o pênis gelado do Diabo. O juiz, satisfeito com mais uma bruxa desmascarada, fazia anotações do que seria supostamente o comportamento-padrão das bruxas e usava o mesmo roteiro na hora de torturar a próxima vítima — que obviamente acabaria assumindo todos os mesmos crimes.

Assim, foi-se criando um extenso imaginário dos atos de bruxaria, que se confirmava a cada novo julgamento. De repente, mulheres de toda a Europa estavam assumindo fazer sexo com um ser que não existia e crimes que elas nem sequer podiam ter cometido, como voar em vassouras. Apenas a possibilidade de tortura já era suficiente para espalhar a bruxaria, porque muitas acusadas preferiam confessar de antemão crimes que não haviam cometido para evitar a dor e a humilhação: julgavam que era preferível morrer logo de uma vez a ficar adiando o inevitável. As confissões espontâneas, por sua vez, só confirmavam a crença na magia. Uma coisa as bruxas da vida real tinham em comum com as parceiras dos contos de fadas: assim como na literatura, não havia final feliz para elas.

Ninguém resistia às torturas intermináveis, principalmente se, como a maioria, elas não tinham o que confessar. Na prática, os interrogatórios e a tortura viravam longas sessões de crueldade nas quais as condenadas ficavam tentando adivinhar o que os inquisidores queriam ouvir, com a esperança de que as deixassem em paz. A maior prova disso é que, nos países em que a tortura era proibida, como na Inglaterra, o número de execuções era imensamente menor. Quando ela era utilizada, 95% das acusadas acabavam condenadas à morte — mas, quando era proibida, a taxa de condenação caía para menos de 50%, como no Reino Unido. A diferença não estava no fato de que as "bruxarias" inglesas fossem menos cruéis, mas sim no de que suas colegas continentais eram torturadas incansavelmente e, assim, não conseguiam evitar a confissão de crimes muito piores que poderiam levar à pena de morte. De fato, na Inglaterra, a crença em pactos com o Diabo e em satanismo nunca foi difundida como no resto do continente europeu.

## O TRISTE FIM DE UMA BRUXA

Para entender as implicâncias da tortura, vale olhar de perto um caso real, como o da alemã Rebekka Lemp. Dona de casa respeitável e mãe de seis filhos, ela era casada com o contador da cidade alemã de Nördlingen, ou seja, detinha um certo grau de renome e respeito. Mas não foi o suficiente. Em 1590, Ursula Haider, uma mulher famosa no vilarejo por seus arroubos de loucura, estava trabalhando na casa de um ferreiro local quando três dos filhos do patrão morreram de uma doença misteriosa. Como Ursula estava por perto e tinha fama de desequilibrada, a coitada logo acabou suspeita do crime. E, mais do que isso, por ser psicologicamente instável, disse que havia matado as crianças mesmo e que conversava regularmente com o Diabo. Foi tudo de que a Inquisição precisou. Ela acabou acusada de bruxaria, assumiu a culpa e ainda indicou um punhado de outras mulheres como cúmplices, entre as quais a inocente e respeitável Rebekka.

Com a certeza de que jamais seria condenada, Rebekka foi presa e começou sua defesa sozinha, já que o marido estava viajando. Declarou que "tão verdadeira quanto a crucificação de Jesus era a noção de que ela era inocente". Disse ser profundamente pia e ter o hábito de ensinar a catequese aos filhos. Mas nada adiantou. O tribunal seguiu acusando-a. O marido entrou com pedido de liberdade, jurou sua inocência, mas também não obteve êxito. O caso de Rebekka seria apenas mais um entre as milhares de mortes da época, se não fosse por uma diferença: as cartas[49] que ela trocou com o marido ainda na prisão sobreviveram até os dias de hoje. Por ser de uma condição social mais favorecida, Rebekka sabia escrever — e deixou provas da insanidade que foi seu julgamento.

A primeira carta era dos filhos de Rebekka, logo depois que ela foi presa:

> Saudações para nossa amada mãe,
>
> Queremos que você saiba que estamos bem. Que você volte logo para nós com alegria e um corpo sadio. E não se preocupe com a casa até que você volte para nós. Que Deus lhe dê mil vezes boa-noite.
>
> Seus filhos amados.

A segunda carta, escrita pela própria Rebekka depois dos primeiros interrogatórios, em 10 de julho de 1590, era endereçada ao marido e mostra a certeza da inocência da acusada:

> Meu amado marido,
>
> Não se preocupe. Se eles me forçarem mil vezes, eu continuarei sendo inocente ou mesmo se o Diabo vier e me estraçalhar. E se eles me interrogassem com violência, eu não admitiria nada,

*mesmo se me rasgassem em mil pedaços. Não se preocupe, sou
inocente até o fundo da minha alma. Se o pior acontecer, então
não haverá Deus no céu. Você sabe da minha inocência.*

A última carta escrita por Rebekka é um tanto mais desesperada.
Nos dias anteriores ela havia sido torturada. Primeiro, esmagaram-lhe
os dedões. Depois, vestiram-na com as botas espanholas, um instrumento que aperta as pernas e os pés até dilacerar carne e ossos. Durante um dia inteiro, a mulher suportou os tormentos. Mas, ao final
do segundo, ela cedeu à dor e à pressão, e confessou ter feito um pacto
com o Diabo. Assim como qualquer ser humano normal, Rebekka
disse o que pudesse imaginar para que parassem de machucá-la.

Alguns dias e outras sessões de tortura depois, Rebekka, indu-
zida pelos inquisidores e seus manuais, acabaria dizendo que voou
pelos ares, praticou magia negra e comeu crianças mortas. É bom
lembrar aqui que se trata da mesma mulher que, alguns dias antes,
tinha fama de boa dona de casa e esposa ideal — além de ser inocente. Diante de mais torturas, Rebekka acabou entregando outros
nomes, quase todos de mulheres mais influentes ainda que ela na
cidade de Nördlingen. Ao final das sessões, escreveu esta carta:

*Meu tesouro escondido, será que serei arrancada de você tão
inocente? Eles me torturaram tanto que tive que falar. Eles me
martirizaram. Meus pobres órfãos. Meu tesouro, eles vão me tirar de você à força. Pai, me mande algo para que eu possa morrer
⟦veneno⟧, senão eu vou morrer como mártir. Se não puder fazê-lo
hoje, faça amanhã. Me mande algo. Me escreva. R*

A corte interceptou esta última carta, que foi usada como prova
em uma acusação de tentativa de suicídio. Rebekka teve de ser carre-
gada até o juiz para ouvir a última acusação tão fraca e ferida como
estava. Dez dias depois, foi queimada viva em praça pública. Junto
com ela, outras 32 mulheres e um homem seriam mortos nos anos

seguintes em Nördlingen, todos com base na primeira acusação de Ursula, que foi se espalhando pela boca das outras torturadas. Assim como tantas outras mulheres em toda a Europa, Rebekka só se transformou em bruxa depois que os torturadores botaram a mão nela. E olha que Rebekka não era a bruxa típica. As bruxas da vida real eram muito menos poderosas.

## VILÃ OU VÍTIMA?

Mas voltemos aos contos de fadas. Quem os lê com atenção vai reparar que as vilãs mais comuns das histórias são bruxas malvadas, sogras mal-intencionadas ou madrastas invejosas. Um ou outro ogro assustador ou bandido da floresta às vezes faz uma participação especial, mas o número de vilãs é muito superior ao de vilões. E, nesse quesito, até que os contos combinam com a vida real.

As bruxas do passado tinham o mesmo perfil das dos livros infantis. A expressiva maioria das pessoas condenadas por bruxaria era mulher e a maior parte delas tinha idade avançada — cerca de 75% das pessoas executadas durante a caça às bruxas eram mulheres e, em certas localidades, esse número passava dos 90%. E a maioria delas tinha mais de cinquenta anos — vale lembrar que estamos falando dos séculos XVI e XVII, uma época na qual a expectativa de vida mal batia nos quarenta anos. É o mesmo perfil das vilãs dos contos, nos quais costumam ser retratadas corcundas, enrugadas e cheias de verrugas.

Para piorar, registros históricos indicam que parte considerável das bruxas vinha de origem humilde: muitas delas eram moradoras de rua ou dependiam da bondade da população para sobreviver. Geralmente, tratava-se de viúvas ou solteironas que, depois de certa idade, não conseguiam mais arranjar trabalho e viviam nas piores condições possíveis. Na Inglaterra, apesar dos dados incompletos, cerca de 40% de todas as pessoas condenadas por bruxaria eram viúvas, número bastante distorcido, considerando que elas formavam apenas uma pequena parcela da população. Olhando para a massa de mulheres idosas e pobres que foram executadas, podemos dizer que as bruxas eram o ponto mais fraco da cadeia alimentar. Nada de seres do mal com poderes infinitos. Nada de senhoras comedoras de criancinhas. Nada de vilãs de contos de fadas. A Inquisição matava quem não tinha defesa alguma.

Alguns motivos explicam a preferência por esse perfil. O primeiro é histórico. A noção de magia e de pessoas que supostamente controlavam forças sobrenaturais sempre existiu. Em 2014, por exemplo, na cidade litorânea do Guarujá, em São Paulo, um boato de magia negra espalhado pelas redes sociais levou ao linchamento e à morte de uma mulher inocente. Durante muito tempo, a própria Igreja católica reforçou esse pensamento mágico, vendendo relíquias de Jesus como amuletos, imagens de santos para proteção ou água benta para a bênção. Ou seja, a magia era uma ideia plausível.

Historiadores também especulam que, durante a caça às bruxas, diversas pessoas ainda estivessem praticando "bruxaria" em casa. Não que colecionassem unhas de dragão para fazer poções ou transformassem desafetos em sapos, mas uma forma de magia mais cotidiana. Como a medicina dos séculos passados era bastante rudimentar, os tratamentos contra doenças incluíam mantras, feitiços e orações, além de ervas e remédios naturais.

Curiosamente, algumas receitas de poções mágicas sobreviveram até os nossos dias. As mais populares continham a planta herbácea mandrágora (de sugestivo nome "*mandrake*", em inglês), que tem uma raiz em bulbo e bifurcada que muitas vezes se parece com a figura de um homem. As lendas diziam que, toda vez que alguém tirasse uma mandrágora do solo, a raiz gritava e matava todos os que ouvissem o berro — J. K. Rowling, a autora de *Harry Potter*, também usou a crença em seu livro, e o pequeno feiticeiro aprende a manipular a planta em suas aulas de Hogwarts.

Na vida real, a planta tem lá seus poderes. Sua raiz contém um alcaloide que causa alucinações, delírios e, em grandes doses, provoca o coma. Não à toa, a planta costumava ser usada como método rudimentar de anestesia. Rapidamente, ela começou a ser associada a magos e feiticeiros, e seu uso acabou visto com maus olhos. No julgamento de Joana d'Arc, por exemplo, ela foi acusada de carregar uma mandrágora, o que acabou contribuindo para sua condenação como bruxa. Mas outras plantas, como o meimendro e a briônia, também eram usados em rituais de cura. Muitas delas continham substâncias psicodélicas, o que poderia ser uma explicação para os relatos das próprias bruxas de que elas voavam e diziam viajar a lugares distantes. Talvez elas apenas estivessem intoxicadas. (Ou talvez apenas estivessem confessando qualquer coisa sob tortura mesmo.)

Assim, não é errado dizer que a feitiçaria existiu de verdade. As pessoas realmente acreditavam que poderes invisíveis, capazes de curar ou matar, regiam o mundo. Também acreditavam que seria possível manipular esses poderes por meio de unguentos, poções e rezas. Também dá para afirmar que as próprias *bruxas* existiam. Elas eram o equivalente aos pajés ou aos xamãs de outras sociedades — as pessoas sábias das comunidades, convocadas para curar ou ajudar os outros em momentos difíceis. Mesmo que seus feitiços não funcionassem, a crença nelas era um fato.

Para entender quem cumpria o papel de bruxa sábia, é preciso conhecer a vida nos vilarejos nos séculos passados. Nas classes populares, quem exercia as profissões ligadas à saúde — curandeiras, enfermeiras, parteiras, herbalistas — eram as mulheres. Entre a alta corte e nas universidades, havia muitos homens praticando medicina, alquimia e clarividência — atividades entrelaçadas —, mas fora dos palácios e castelos quem cuidava dos doentes eram elas. Eram elas também que traziam à luz os bebês, elas que ficavam no leito de morte cuidando dos idosos, elas que velavam os mortos.

Naqueles tempos, ninguém sabia explicar ao certo por que uma pessoa que estava bem e saudável podia morrer de repente: nunca se havia ouvido falar em vírus ou bactérias ou infecções, o que cercava as mortes de uma aura misteriosa e sombria. Como eram as mulheres que cuidavam dos doentes, elas acabaram associadas aos fenômenos que regiam a vida e a morte — e, assim, também à bruxaria. Se não havia explicação para todas as doenças, o consenso era chamá-las de magia.

Havia também uma associação direta com a bruxaria em outra ocupação tipicamente feminina: a cozinha. Era comum que mulheres passassem grande parte do dia em cima de imensas panelas de ferro, os caldeirões, preparando comida para os sadios ou essências para os doentes. Somando todos esses fatores, lentamente foi criando-se a imagem da "mulher sábia", uma figura poderosa, que poderia decidir quem morria e quem vivia e controlaria as energias deste e dos outros mundos. Uma bruxa. Mas ainda estamos falando dos séculos passados, uma época na qual o poder e o prestígio estavam na mão dos homens. Atribuir às mulheres a capacidade de reger a vida e a morte desafiava toda a organização social e, como tudo o que assusta, fazia com que fossem vistas com desconfiança.

A má fama, aliás, acompanhava as mulheres havia séculos. Desde os tempos mais remotos — desde aquele episódio em que Eva deu a maçã a Adão —, a Igreja e a sociedade consideravam o sexo feminino o mais vulnerável a cair em tentação. Mulheres eram consideradas mais fúteis, "fracas de espírito" e facilmente influenciáveis. A elas também eram atribuídos os "pecados da carne": tinham a fama de seduzir os homens ou de levá-los para o mau caminho. Ou, pior, de gostar demais de sexo. Foi apenas no século XVIII que as mulheres passaram a ser vistas com uma atitude mais passiva em relação ao sexo e ao desejo. Antes disso, a reputação sexual delas era pior do que a deles.

Assim, quando os boatos de feitiçaria e pactos com o Diabo se espalharam, as acusações logo recaíram no sexo mais frágil (embora os inquisidores também tenham torturado alguns homens, que acabaram confessando ter mantido relações sexuais com o demônio). Ainda assim, via de regra, eram elas que dançavam. Se as mulheres fossem solteiras ou viúvas, o estigma era ainda mais pesado. Sem um marido, essas senhoras não tinham papel bem definido na sociedade, nem uma forma eficiente de ganhar renda, nem alguém que pudesse protegê-las das denúncias. Como moradoras de rua ou indigentes, podiam levar o rótulo de feiticeiras com mais facilidade. A parcela da população de mulheres sozinhas não era desprezível: de acordo com o censo francês de 1851, 12% das senhoras acima de cinquenta anos jamais tinham se casado e outros 34% eram solteiras, ou por viuvez, ou por separação. Muitas se rendiam à mendicância. Chafurdavam na má fama. E viravam as bruxas.

Mulheres pobres também eram as primeiras a aderir à magia — real ou fictícia — porque não tinham nenhuma outra forma de se defender. O historiador inglês Alan Macfarlane tem uma teoria geral de como as acusações de bruxaria aconteciam. Primeiro, é preciso entender que as insinuações de feitiçaria geralmente surgiam depois de algum infortúnio: morte de criança, praga nas plantações, desaparecimentos de rebanho. Valia também algum evento especialmente estranho, como a queda de uma árvore em um dia sem vento ou a contaminação por pulgas de uma mulher famosa por sua limpeza. Segundo Macfarlane, qualquer coisa fora do comum já servia para levantar suspeitas de um vilarejo. Como não havia explicação lógica para esses acontecimentos e como também não havia a quem culpar, era comum que os estranhos atos acabassem caindo na conta de pessoas que já não eram benquistas pela vizinhança. As associações eram livres.

Digamos que duas vizinhas tenham entrado em atrito por causa de uma disputa por comida no mercado. Uma delas é uma viúva pobre que mora sozinha em uma casa afastada caindo aos pedaços; a outra é uma mãe de cinco filhos pequenos. As duas brigam, a mais velha acaba levando a pior e vai embora amaldiçoando (ou apenas xingando) a mais nova. Dois dias depois, um dos filhos adoece e fica de cama. Na mesma hora, a mãe se lembra daquela velhota que lhe rogou uma praga alguns dias antes. E começam os boatos. Em pouco tempo, e depois de mais alguns acasos parecidos — ou desentendimentos reais —, toda a cidade saberia que a viúva era, na verdade, uma bruxa poderosa. Em alguns anos, ela poderia acabar na fogueira. De acordo com o historiador, muitos casos podem ter-se originado de situações parecidas com essa — o que só indica a situação frágil em que viviam as idosas dos séculos passados. A maior parte das bruxas só ganhava essa reputação depois de anos de fofocas e algumas coincidências desastradas.

Assim, quando a Inquisição chegou e trouxe consigo a possibilidade de afastar esses maus elementos da sociedade, não era de estranhar que as comunidades agarrassem a oportunidade com unhas e dentes. Escreve o historiador Brian Levack no livro *The Witch-Hunt in Early Modern Europe*:

> Acreditava-se que as mulheres, que geralmente não tinham o poder físico ou político dos homens, pudessem usar a magia como um instrumento de proteção ou vingança. A possibilidade de causar o mal por meios mágicos era uma das poucas formas de poder disponíveis para elas no começo da Era Moderna. Mesmo quando não tinham acesso às artes da magia, elas eram naturalmente suspeitas de fazê-la. Essa visão popular da bruxa como mulher poderosa explica por que — embora ela seja na verdade um bode expiatório e uma vítima — ela era vista como influente e ameaçadora pelos vizinhos.[50]

A magia, no final das contas, era o poder de quem não tinha poder algum. Era o poder dos oprimidos.

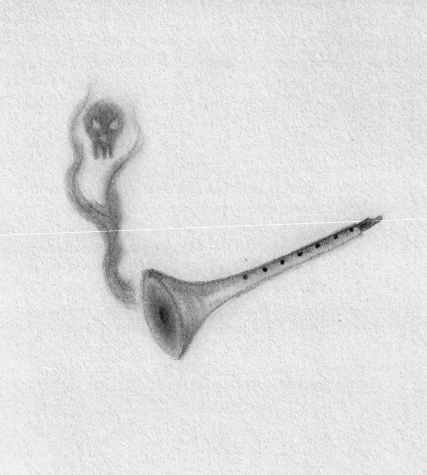

# Capítulo VIII

## O FLAUTISTA DE HAMELIN E UM CONTO REAL

*"O folclore sendo uma cultura do povo é uma cultura viva, útil, diária, natural. As raízes imóveis no passado podem ser evocadas como indagações da antiguidade."*

Luís da Câmara Cascudo, *Folclore do Brasil*, 1967

Quem chega à cidade alemã de Hameln não fica muito impressionado. Os arredores modernos escondem um pequenino e bem preservado centro histórico — esse, sim, com algum charme arquitetônico. Andando entre as casas de enxaimel, um fato curioso chama a atenção: a presença constante de figuras de ratos em toda parte. Logo fica clara a influência por lá de uma lenda de mais de sete séculos de idade. Hameln é Hameln para nós, brasileiros, e foi palco do conto de fadas *O flautista de Hameln*. Ninguém na cidadezinha de pouco mais de 57 mil habitantes tem dúvida de que a história realmente aconteceu. Sabem na ponta da língua o ano em que um misterioso flautista teria levado para longe 130 crianças do vilarejo: 1284. Há referências ao conto de fadas em toda parte. Logo na entrada do centro histórico há uma imponente casa de pedra, com a fachada ricamente adornada com esculturas. É a casa do "caçador de ratos", o flautista. Não é que ele tenha vivido lá — até porque a casa foi construída apenas em 1602 —, mas reza a lenda que, na viela à sua direita, a única testemunha do sequestro tenha visto pela última vez aquelas 130 crianças. Na parede ainda vê-se a inscrição:

> "No ano 1284, no dia de João e Paulo, era 26 de junho, 130 crianças nascidas em Hameln foram levadas e se perderam na [montanha] Kalvarie em Koppen, por um flautista vestido de todas as cores".[51]

A ruazinha ao lado da casa do caçador de ratos se chama Bungelosenstrasse (Bungelose = sem tambores, sem batidas), um lugar de onde a música foi banida. Tão triste ficou a cidade com o sumiço das crianças que foi proibido tocar tambor — ou qualquer outro instrumento — na viela. A tradição persiste até hoje.

Passando reto pela casa de pedra, tropeçando em pequenas pedras esculpidas com formatos de ratos pelo chão e ignorando as vitrines repletas de roedores de pelúcia, chega-se ao Museu de Hameln, o orgulho da cidade. São três imensos andares lotados de relíquias históricas da região: ossos fossilizados de mamutes da Era do Gelo, pontas de lança da Idade do Bronze, telas sacras da Idade Média e resquícios da Segunda Guerra Mundial, quando nazistas também se espalharam pela cidade. Mas a grande atração do museu é a sala do flautista. Lá estão documentos e imagens que registram a história e comprovam algum fundo de verdade do conto. De fato, de todos os contos de fadas mais populares, *O flautista de Hamelin* é o que tem mais provas históricas de ter ocorrido de verdade. Mas comecemos do início.

## O SUMIÇO

Você deve conhecer o enredo. Hamelin era uma cidade infestada por ratos, que já não sabia mais o que fazer com a praga. Desesperado, o prefeito ofereceu uma bela quantidade de dinheiro para quem conseguisse livrar o vilarejo dos roedores. Logo apareceu um misterioso forasteiro com uma flauta, vestido com as cores mais berrantes do arco-íris, garantindo que conseguiria cumprir a missão. Assim que começou a tocar, todos os ratos de Hamelin se reuniram ao redor do flautista, que os levou até o rio mais próximo e os afogou. Quando voltou à cidade para receber a recompensa, o prefeito resolveu não pagar tudo o que havia combinado, por ter julgado o trabalho fácil demais. O flautista ficou furioso. Assim, resolveu se vingar de Hamelin. Tocou novamente a música, mas, dessa vez, quem o seguiu foram todas as crianças do povoado. Sem dó, o forasteiro levou 130 crianças para fora da cidade e as aprisionou em uma caverna. Elas nunca mais foram vistas e o vilarejo chorou arrependido.

A história registrada pelos irmãos Grimm não aparece no livro de contos de fadas deles, mas em uma de suas coleções de lendas. O tom é mais histórico, cita datas e nomes de testemunhas, assim como documentos da cidade, tudo para provar que o fato realmente aconteceu. Não há príncipes e princesas, nem elementos encantados (além da misteriosa flauta que seduz 130 crianças rumo à morte). Ainda assim, a narrativa ganhou o mundo como conto de fadas e o Museu de Hamelin estima que mais de 1 bilhão de pessoas conheçam o drama do misterioso flautista e o sumiço das crianças e nem imaginam que ele possa realmente ter acontecido.

Tudo indica que o conto tenha sido inspirado por duas lendas que circularam em épocas distintas pela região. A primeira, mais antiga, é a história do sumiço das crianças de Hamelin. A segunda discorre sobre o caçador de ratos. Em algum momento do século XVI, as duas foram condensadas em uma só narrativa. Mas é a primeira que apresenta todos os indícios de ter acontecido de verdade — e as teorias são muitas. Tudo começou em 1592 quando Augustin von Mörsperg, um nobre alemão, intrigado com uma lenda que havia ouvido sobre Hamelin, resolveu conhecer a cidade. Lá, visitou a catedral do vilarejo e ficou impressionado com um estranho vitral que ficava bem no alto. Era o desenho de um homem de roupas extravagantes com uma flauta nas mãos e umas crianças ao fundo que pareciam segui-lo em direção a uma montanha. Mörsperg ficou interessado no retrato e resolveu copiá-lo. Sorte a nossa que ele fez isso. O vitral, que era do século XIII e coincide com a data em que o flautista supostamente sequestrou as crianças, não sobreviveu à passagem dos anos. Mas o desenho de Mörsperg resistiu — e é hoje a prova histórica mais antiga de que algo misterioso aconteceu em Hamelin.

Outro indício que sobreviveu aos tempos é o relato de um padre chamado Heinrich von Herford, que em 1430 narrou o acontecimento com detalhes impressionantes. Segundo ele, em 1284 um homem de trinta anos chegou a Hamelin vestido com roupas muito bonitas e uma flauta de prata. O estranho então tocou o instrumento e todas as crianças da cidade, 130 no total, seguiram o som em direção ao leste. O homem as levou até a montanha Calvarien, um notório local de execuções, e os jovens nunca mais foram vistos. O interessante dessa descrição é que o padre cita a única testemunha do sequestro: a mãe de um certo senhor Johann von Lüde, um morador de Hamelin.

Historiadores do século XX então fizeram o óbvio: checaram os registros da cidade para descobrir se uma família com esse nome realmente havia vivido lá. E não deu outra: a testemunha de fato existiu e viveu no vilarejo. Some-se isso aos inúmeros sinais espalhados pelas ruas, como o vitral da igreja, e não havia mais dúvidas. Para os especialistas, ficou claro que o sumiço das crianças tinha pelo menos algum fundo de verdade. De alguma forma, dezenas de jovens hamelianos haviam desaparecido.

As tentativas de encaixar as evidências em algum fato histórico não pararam de surgir desde então. Nem todas ficam de pé. Especulou-se que as crianças sumidas haviam sido convocadas para participar da Cruzada das Crianças, na qual supostamente milhares de jovens franceses e alemães teriam se juntado para retomar a Terra Sagrada. A ocorrência da cruzada não é unânime hoje em dia — nem as datas batem. A peregrinação teria acontecido em 1212, ao passo que o sumiço das crianças de Hamelin seria em 1284.

Outra hipótese é a de que um estranho realmente tenha levado as 130 crianças para a montanha, onde um desastre natural as teria matado. Arqueólogos e historiadores até tentaram vasculhar os arredores de Hamelin, mas não encontraram evidências de uma imensa avalanche ou terremoto — o que acabou descartando também essa possibilidade, uma vez que a hipótese de um desconhecido levar centenas de pessoas sem mais nem menos já era difícil de acreditar.

Até mesmo uma epidemia de dança foi usada para justificar o acontecimento. Epidemias de dança realmente aconteceram entre os séculos XIII e XVII na Europa, nas quais centenas de pessoas eram tomadas por uma vontade incontrolável de dançar e o faziam até a exaustão. Até hoje não se sabe exatamente o que causava os surtos: histeria religiosa, ingestão de alucinógenos ou apenas contestação aos comportamentos da época.

Uma dessas epidemias realmente se deu em 1237, entre as cidades alemãs de Erfurt e Arnstadt, na qual mil crianças percorreram doze quilômetros dançando em transe. Todos os que presenciaram o feito, que supostamente havia começado com uma cantoria religiosa em homenagem aos apóstolos, ficaram estarrecidos. Eram crianças cantando e dançando alucinadamente, e sumindo de suas casas — uma imagem que até combina com a lenda de Hamelin. Os moradores de Arnstadt só entenderam o que estava acontecendo quando os de Erfurt deram falta das crianças. Mas Hamelin fica a mais de duzentos quilômetros de distância das duas cidades — e nada indica que os jovens tenham feito um desvio de centenas de quilômetros no meio do caminho.

Interpretações mais místicas também trataram de botar o sumiço das crianças na conta do Diabo, que teria se transformado na figura de um cantor demoníaco para sequestrar os pequenos. Diversos relatos, desde o século XVI, insistem nessa versão, provavelmente influenciados pelo mito do antigo deus grego Pã, que também levava as pessoas à perdição e ao pecado quando soprava sua flauta e dançava. Como sabemos, Pã, com suas patas de bode e chifres na cabeça, acabaria influenciando a imagem moderna do Diabo — o que dava ao mito credibilidade católica. Nada indica, porém, que o Diabo tenha baixado em Hamelin no final do século XIII (ou em qualquer outro lugar). Ou seja, se juntarmos todas as vertentes — as históricas, as mitológicas e as místicas —, o que não faltam são explicações mirabolantes para a origem desse conto de fadas.

Hoje, a maior parte dos historiadores se contenta com uma teoria mais realista e bem menos espetacular. De acordo com ela, o que aconteceu em Hamelin foi uma migração para o leste. Naqueles tempos, o território que hoje é o leste alemão, perto de Berlim e do mar Báltico, era tomado por povos eslavos e nórdicos. Até o século XIII, os territórios estavam fechados para o oeste por um domínio dinamarquês. Quando essa barreira caiu depois de uma guerra, povos germânicos puderam se expandir para a região em busca de comércio e de acesso ao oceano.

Essa região era especialmente interessante para migrantes por causa da grande quantidade de terras vazias que havia por lá. Naquela época, a Europa central vivia um acelerado crescimento populacional e, por consequência, sofria com comida escassa e penúria. A grande quantidade de filhos que havia em cada família fazia com que os terrenos familiares fossem divididos em lotes cada vez menores — o que dificultava o sustento de todos. Restava apenas partir. Para os reinos do leste, também fazia sentido atrair novos moradores: não havia mão de obra disponível para trabalhar. A migração para o leste acabou sendo incentivada e milhares de pessoas deixaram sua terra natal para tentar uma vida melhor nesses novos territórios. Geralmente eram jovens adultos e adolescentes que se aventuravam nessa jornada: sem terras nem bens, e cheios de energia, eles eram os mais propensos a partir rumo ao desconhecido.

Mas o que os historiadores do século XX descobriram — e o que realmente tem a ver com Hamelin — é que havia um estranho padrão no nome de cidades alemãs que foram estabelecidas no leste. Muitos desses migrantes, ao fundar um novo vilarejo nos territórios orientais, acabavam dando a seus novos lares o mesmo nome — ou nomes parecidos — de seus locais de origem. Assim, a cidade de Beverungen, por exemplo, virou Beveringen, e Hindenburg deu origem a Hinnenburg. E foi assim que os antigos habitantes de Hamelin fundaram Hammelspring, a quinhentos quilômetros da cidade original, quase na fronteira com a Polônia. "Hammelspring" quer dizer "onde nasce o rio Hamel", o que é no mínimo estranho, porque esse rio não passa perto da cidade nova. Como a data de fundação da segunda batia com o suposto sumiço de crianças na primeira, a coincidência corroboraria a tese da migração. Fazia sentido supor que 130 dos mais jovens e saudáveis habitantes de Hamelin tenham deixado a cidade para fundar outra de nome parecido num terreno promissor.

Outro detalhe histórico que combina com a lenda do flautista de Hamelin é a existência de locatores, pessoas que faziam o papel de intermediários e propagandistas dessas migrações. Seu trabalho era viajar de cidade em cidade anunciando a nova terra disponível e atrair o maior número possível de pessoas para a mudança. Como vinham de origem mais rica, os locatores geralmente se vestiam com roupas extravagantes e organizavam pequenas festas para seduzir os moradores. Assim, de acordo com essa tese, o flautista de Hamelin seria, na verdade, um locator que teria conseguido convencer 130 dos moradores mais dispostos da cidade a migrar para o leste — o que fez com que nunca mais fossem vistos.

Como não havia internet, WhatsApp ou correio naquela época que possibilitasse aos jovens avisar o pessoal de Hamelin que eles haviam chegado bem à nova terra, ninguém nunca ficou sabendo do paradeiro deles. Assim, derrubou-se a tese do sequestro e das mortes de inocentes de Hamelin. O que aconteceu por lá foi a mudança voluntária de pessoas em busca de vida melhor, assim como nas ondas migratórias que se sucedem atualmente. Foi a pobreza que motivou esse conto de fadas.

## O RATO ROEU A HISTÓRIA

Mas como os ratos e um dedetizador que usa flauta foram parar no meio dessa história? A parte dos roedores provavelmente foi incluída na lenda um bom tempo depois, no século XVI, já que nenhum dos documentos anteriores faz menção a esse detalhe.

Há algumas referências históricas que podem ter feito os ratos entrarem na narrativa, como o fato de Hamelin ter sido uma cidade produtora de mós, as pedras que eram usadas em moinhos para triturar grãos. Ou seja, o vilarejo tinha uma grande quantidade de moinhos — um lugar que costuma atrair muitos ratos por causa dos restos de grãos moídos. Outro indício são as vielas estreitas que separam uma casa da outra, nas quais eram despejados todos os tipos de lixo e excremento. Esses espaços também serviam de atrativo para os roedores. É fácil acreditar que ratos tenham realmente empesteado a cidade.

Naqueles tempos, os roedores viviam lado a lado com pessoas e, compreensivelmente, não tinham a melhor das famas. Segundo a crença popular, eles eram sinal de mau agouro, bruxaria e diabruras. A peste bubônica, que dizimou a Europa entre 1347 e 1353, e que também foi transmitida pelos pequenos roedores, só ajudou a consagrar a má reputação dos ratos. *O flautista de Hamelin* surgiu em uma época em que infestações de roedores eram um imenso problema.

Todas essas teorias foram discutidas e rediscutidas por historiadores e, embora a da migração seja a mais aceita hoje, nenhuma delas é unânime. Por causa do seu fundo histórico, a lenda do flautista acabou se tornando uma das mais pesquisadas por arqueólogos e historiadores, que já analisaram cada detalhe do enredo em busca de alguma evidência real. Os testes foram criativos e extremamente literais com os fatos narrados na lenda. Procuraram, por exemplo, nos arquivos da cidade, algum documento que provasse que Hamelin tivesse contratado alguém para dizimar ratos entre os séculos XIII e XIV. Em vão.

Nada foi encontrado. Testaram também a hipótese de o flautista ter afogado os roedores no rio mais próximo, o que acabou revelando-se um tiro n'água — literalmente. Ratos são excelentes nadadores e não poderiam ter sido mortos dessa forma. Para completar, testaram até mesmo as flautas da época que foram encontradas em sítios arqueológicos da região para provar se seu som teria alguma influência sobre ratos — o que tampouco acabou acontecendo. Ou seja, se analisarmos a lenda do flautista de Hamelin apenas como fato histórico, ela não se sustenta. Por isso, é sempre bom lembrar que, embora possam ter sido influenciados por alguns acontecimentos ou sejam frutos de seu tempo, os contos de fadas não são fatos históricos. E não há teste em laboratório que possa provar o contrário.

Qualquer que seja o motivo, foi com ratos e tudo que a lenda virou conto de fadas. Foi dessa forma também que *O flautista de Hamelin* foi usado pelos nazistas para celebrar "uma verdadeira saga alemã" em 1934, quando oficiais resolveram ir à cidadezinha fazer uma festa em homenagem aos 650 anos da história dos ratos. (Só nazista mesmo para comemorar o desaparecimento de 130 crianças.) E foi nessa versão, com um flautista psicopata, ratos e crianças sumidas, que o conto circulou o mundo depois. Acabou rendendo uma bela história.

# Capítulo IX

## A PEQUENA SEREIA, WALT DISNEY E A MISÉRIA

*"Só há dois ou três tipos de histórias humanas, e elas ficam se repetindo ferozmente como se nunca tivessem acontecido."*

Willa Cather, *O Pioneers!*, 1913

O começo da autobiografia do dinamarquês Hans Christian Andersen, um dos maiores autores de contos de fadas do mundo, é tocante:

> Minha vida é uma história adorável, feliz e cheia de acontecimentos. Em 1805, vivia em Odense, em um apertado quarto, um jovem casal que era extremamente ligado um ao outro; ele era um sapateiro que mal tinha 22 anos, um homem com uma mente verdadeiramente talentosa e poética. A sua mulher, alguns anos mais velha, era ignorante da vida e do mundo, mas possuía um coração cheio de amor. [...] Cercado por luz de velas, ali estava, no segundo dia de abril de 1805, um bebê vivo e choroso — esse era eu, Hans Christian Andersen.[52]

Com ternura, ele se lembra dos tempos de pobreza da infância, das dificuldades financeiras que a família enfrentou e da frustração que o pai carregava por nunca ter estudado. Andersen perdeu o pai ainda criança, quando tinha onze anos, e teve de começar a trabalhar para ajudar no sustento da mãe. Apesar do começo árduo, um detalhe encantado marcou sua vida desde cedo. Por volta dessa época, o menino ouviu de uma cigana a profecia de que um futuro glorioso o aguardava. Isso marcou Andersen para sempre. Cheio de esperanças, o rapaz resolveu se mudar para Copenhague, na Dinamarca, aos catorze anos. O que ele não sabia era que o presságio da cigana demoraria a se concretizar. O menino teve de abandonar os estudos e trabalhar como alfaiate e cantor de ópera. Passou um tempo quase morando na rua, em condições próximas da mendicância, apenas semialfabetizado. Foi só no começo da vida adulta que seu destino começou a mudar, graças à ajuda de umas fadas-madrinhas bondosas; no caso, alguns mecenas que resolveram bancar o estudo do rapaz depois de ver que ele levava jeito para as artes.

Assim, Andersen aprendeu latim, as ciências naturais, e foi introduzido na etiqueta da corte. Ganhou bolsas para viajar pela

Europa. Logo escreveu seus primeiros livros e contos de fadas. Sua obra rapidamente caiu no gosto das classes altas. O sucesso finalmente havia chegado. No fim da vida, Andersen frequentava a corte dinamarquesa, havia viajado por dezenas de países, era amigo dos escritores Charles Dickens e Victor Hugo e do filósofo Søren Kierkegaard, tinha publicado inúmeros livros e morreu respeitado dentro e fora de seu país. Com toda essa história de superação, não é à toa que o título que ele deu à sua autobiografia foi "O conto de fadas da minha vida".

 A infância de Walter Elias Disney foi um passeio de montanha-russa, cheio de altos e baixos. Nascido em 1901 e criado em uma fazenda no meio da natureza, Walt Disney foi o quarto dos cinco filhos do casal Flora e Elias. Apesar do comecinho de vida idílico no campo, ele tinha só nove anos quando o pai resolveu se mudar para Kansas City, no centro dos Estados Unidos. Na cidade grande, sua vida mudou para sempre — e para pior. Elias Disney assumiu o trabalho de distribuidor de jornais e, notório pão-duro que era, resolveu botar os dois filhos mais novos para fazer o serviço de entregadores. Em vez de contratar funcionários ou comprar um cavalo e uma carroça para transportar os jornais, o pai decidiu que os próprios filhos carregariam as edições no braço.

 Foi quando teve início a fase mais traumatizante da vida de Disney. Walt acordava às três e meia da manhã para começar a ronda pelos vinte quarteirões que lhe cabiam, e distribuía jornais até as cinco e meia. Então tomava café da manhã e ia para a escola, de onde tinha de sair mais cedo para começar a entrega dos jornais vespertinos. Tudo era feito a pé. E nos fins de semana, quando a carga era dobrada por causa das edições maiores, ele e o irmão Roy realizavam mais de uma viagem para conseguir carregar tanto peso. O trabalho não tinha descanso nem mesmo no inverno sob neve e granizo, quando ele abria caminho entre o gelo para terminar a rota. Disney não tinha fins de semana nem férias e, aos nove anos, tampouco tinha tempo para brincar.

Às vezes, quando ninguém estava olhando, divertia-se com os brinquedos largados do lado de fora de alguma casa em que deveria entregar o jornal. Mas sentia medo de o pai descobrir, porque, se isso acontecesse, a surra viria dura e certeira. Quarenta anos depois, quando já era empresário de sucesso, Walt Disney declarou que ainda acordava suado no meio da noite por ter sonhado que havia se esquecido de entregar um jornal.

Mas a infância sofrida não durou para sempre. Depois de abrir o próprio estúdio de animação aos vinte anos, criar o Mickey Mouse e fundar uma milionária empresa de entretenimento que abarca parques temáticos, animações blockbuster e produtos licenciados que invadiram até os confins mais remotos do mundo, Walt Disney encerrou a vida como um dos mais importantes artistas e empresários do século XX.

Assim como a infância na pobreza, Disney tinha mais uma coisa em comum com Hans Christian Andersen: a obsessão por contos de fadas. Foi justamente a infância penosa que deu a Disney a inspiração para se dedicar a esse tipo de história. Ele se identificava com os dilemas dos heróis das narrativas e concluiu que muita gente faria o mesmo. Seus contos de fadas são sucesso desde 1937, quando lançou o primeiro longa-metragem, *Branca de Neve*, uma empreitada que ocupou seiscentas pessoas durante três anos, desenhando 250 mil cenas avulsas, correspondendo a duzentos anos de trabalho se tivesse sido feito por um só artista. Ninguém contribuiu tanto para a divulgação das histórias quanto Disney — e as versões que ele desenvolveu para os contos são as que a maioria das pessoas conhece até hoje.

## Vindos de baixo

Ao contrário de outros autores de contos de fadas, como Perrault, que vinha de família burguesa, e os irmãos Grimm, que, embora não fos sem ricos, nasceram em uma família de situação financeira confortável, Hans Christian Andersen e Walt Disney vieram de condições extremamente humildes — e ambos acabaram se tornando dois dos maiores artistas de seu tempo. Mais do que isso: tiveram reconhecimento internacional e imensas recompensas financeiras no final da vida.

Nos últimos anos, muitas pessoas compararam a vida dos dois com suas criações artísticas mais famosas: os contos de fadas. O fato de terem tido biografias parecidas com esse tipo de narrativa fez com que ambos se vissem atraídos pelo assunto. Andersen escreveu centenas de contos, alguns inspirados no folclore nórdico, mas muitos inteiramente inventados por ele, a partir do mundo ao seu redor. Entre os mais famosos estão *A Pequena Sereia*, *O patinho feio*, *A Rainha da Neve* e *A roupa nova do imperador* — os primeiros três, animados nas telonas justamente pelas empresas de Disney (*A Pequena Sereia* é um longa-metragem de 1989; *O patinho feio*, um curta de 1939; e *A Rainha da Neve* inspirou *Frozen: uma aventura congelante*, de 2013). Andersen não conseguia se desligar de sua história pessoal e sabia como a sua condição de ex-pobre era rara na estratificada sociedade dinamarquesa. Sua insistência no tema da ascensão social era tanta que críticos chegam a dizer que o dinamarquês só sabia contar sempre a mesma história: a dele mesmo. Assim, define o conterrâneo Niels Kofoed:

> Quando as pessoas tiravam sarro dele ⟦Andersen⟧ por causa de sua aparência peculiar, ele cerrava os punhos dentro dos bolsos dizendo: "Eu vou provar que não sou o simplório que eles pensam! Aguardem! Um dia, eles vão se levantar e se curvar diante do poeta triunfante" ⟦...⟧ Nas novelas e em seus contos e histórias, ele repetia e variava o tema de sua vida inúmeras vezes, desenvolvendo e engrandecendo-o, transformando-o em uma canção universal.[53]

A comparação mais óbvia entre um conto específico e a vida de Hans Christian Andersen é feita com a história do patinho feio.

Assim como o protagonista, Andersen nasceu em um ambiente que o rejeitou e só foi encontrar a glória na vida adulta, entre as pessoas com quem realmente se identificava. No caso do conto, o patinho feio é rechaçado por sua família apenas para descobrir que é, na verdade, um cisne esbelto e garboso. No caso do escritor, Andersen terminou a vida convivendo com o *crème de la crème* da alta sociedade dinamarquesa: os ricos e influentes.

Mas, mais do que uma narrativa sobre superação, *O patinho feio* é a história da sensação de deslocamento. E isso tem muito a ver com a vida do escritor. Mesmo quando já era reconhecido como autor, Andersen percebia que não fazia genuinamente parte da alta nobreza. A todo custo, tentava ser aceito entre a corte e os poderosos, que o viam com desconfiança graças à sua condição de artista e seu jeito esquisitão e agitado. Sentia-se isolado, mas também já não se identificava com as classes mais baixas — nem sequer queria se relacionar com elas.

A rejeição pela corte acabou transparecendo em seus contos. *A roupa nova do imperador*, por exemplo, é uma história que zomba dos excessos e da vaidade de um rei fictício. Tão fútil era ele que acabou contratando dois vigaristas para lhe costurar uma roupa nova. O traje seria lindo e confeccionado com um tecido tão especial que apenas os mais inteligentes poderiam enxergá-lo. Os trapaceiros, então, embolsaram todo o dinheiro que receberam pela encomenda e não fizeram roupa alguma para o imperador. Tinham certeza de que ninguém admitiria não estar vendo o tecido. Foi o que aconteceu. O rei também não quis confessar que não via nada para não ser considerado burro, e desfilou pela cidade apenas de cueca. Foi desmascarado por uma criança, que gritou a frase que se tornaria famosa: "O rei está nu, o rei está nu!". (Na versão de Andersen, a menina berrou: "Mas não está vestindo nada!".) O conto, uma crítica nem tão velada assim à nobreza que o desprezava, se tornou um dos mais conhecidos de Hans Christian Andersen.

Na vida amorosa, o escritor também não se deu bem. Andersen jamais se ligou amorosamente a ninguém (oficialmente). Nunca se casou, mas manteve diversas paixões platônicas por mulheres poderosas ao longo da vida — que não eram correspondidas. Há indícios também de que o escritor fosse bissexual, pois deixou cartas de amor para homens e mulheres. Nutriu um grande amor pelo filho de um de seus mentores, Edvard Collin. Uma de suas cartas menciona um ardente "desejo não correspondido" pelo rapaz. Esse amor impossível fez com que a vida de Andersen também fosse comparada ao destino de outro de seus protagonistas famosos, a Pequena Sereia.

Ao contrário do que mostra o filme homônimo dos estúdios Disney, *A Pequena Sereia* é um dos mais tristes contos de fadas já escritos. É a história de um amor não correspondido, com um final de partir o coração. O começo é parecido com o do desenho animado. Era uma vez uma princesa sereia que se apaixonou por um príncipe humano. Ela o vê pela primeira vez em um barco em alto-mar que sofre um naufrágio. A sereiazinha então salva o príncipe e o leva até uma praia próxima, onde se esconde para que ele não a veja. De volta à vida no fundo do oceano, a princesa não consegue parar de pensar no amado e em uma maneira de se juntar a ele. Assim, decide pedir ajuda à bruxa do mar. A feiticeira prepara uma poção que transforma sua cauda de sereia em pernas humanas — em troca da sua voz. Os membros inferiores vêm com um aviso terrível. "As pernas fazem doer, quero dizer-te, é como se uma espada afiada te trespassasse. [...] Cada passo que deres é como se pisasse numa faca cortante, que te fizesse correr o sangue", avisa a bruxa.[54] Para poder ser humana para sempre, explica a vilã, o príncipe precisaria se apaixonar e se casar com a Pequena Sereia. Caso ele decidisse ficar com outra, a sereiazinha morreria e viraria espuma do mar.

Armada com as dolorosas novas pernas, a protagonista se aproxima do amado e começa a conviver com ele. Mas, por estar muda, não consegue fazê-lo se apaixonar por ela. Pelo contrário, o príncipe vê na ex-sereia apenas uma grande amiga. Para piorar, ele acredita que foi a princesa do reino vizinho que o salvou do naufrágio e resolve se casar com ela. A sereiazinha fica inconsolável.

Na noite do casamento do príncipe, a bruxa do mar aparece e sugere que a Pequena Sereia mate o amado para se salvar. A heroína vai até o quarto do príncipe, mas o vê tão feliz e adormecido ao lado da nova esposa que não consegue matá-lo. Descreve Andersen:

> A faca tremeu na mão da sereia, que a lançou para longe, nas ondas, que brilharam vermelhas onde caiu. Era como se borbulhassem gotas de sangue na superfície do mar. Ainda uma vez olhou para o príncipe, com o olhar meio enublado, depois se lançou do navio ao mar, onde seu corpo se desfez em espuma.[55]

Aqui não houve "e viveram felizes para sempre".

Muitos acadêmicos procuraram paralelos entre a terrível desilusão amorosa da sereia e os desencontros românticos de Andersen. Assim como a sereia, o escritor teria sofrido calado com seus desamores e feito grandes sacrifícios para revertê-los. O deslocamento da heroína em terra firme, sentindo dores constantes, também foi comparado ao estranhamento do escritor nas classes altas. Com suas paixões homossexuais no século XIX, sentia-se — assim como a sereia — um peixe fora d'água. Qualquer que seja a interpretação, não foi à toa que Hans Christian Andersen chamou *A Pequena Sereia* de "o único de seus trabalhos que o comoveu".

Walt Disney também tinha temas favoritos para suas criações, embora de natureza bem diferente. O estadunidense gostava de elaborar histórias sobre a busca pelo sucesso e por um mundo perfeito. Isso pôde ser visto quando decidiu usar a história do *Gato de Botas* para um de seus primeiros curtas-metragens de animação, ainda em 1922. O enredo do conto de fadas é simples: um irmão caçula fica com a pior porção da partilha dos bens do pai. Como as leis dos séculos passados davam o direito de herança quase exclusivamente aos primogênitos, o protagonista acaba ficando apenas com um velho gato do espólio. Mas não é um gato qualquer. Com esperteza e malandragem, o felino leva o pobre camponês a se passar por um rico nobre, derrotar um gigante maldoso e, no final, conquistar o coração da "princesa mais linda do mundo". É a história de uma fulminante ascensão social.

A versão de Walt Disney, animada por ele mesmo, é ainda mais direta. O enredo se passa no século XX, o Gato de Botas vira um coadjuvante engraçadinho e é o próprio rapaz que consegue conquistar a princesa graças à sua astúcia e a uns truques de hipnose. É a história de um *self-made man*. "O herói pode ser visto como um jovem Disney tentando fazer sucesso na indústria dos desenhos animados (o rei), com a ajuda de seu amigo (o gato). [...] O herói de Disney é um jovem empreendedor, que usa a tecnologia a seu favor", escreve Jack Zipes, um dos maiores especialistas em contos de fadas do mundo, em *Happily Ever After: Fairytales, Children and the Culture Industry* [Felizes para sempre: contos de fadas, crianças e a indústria cultural].[56] Qualquer semelhança com a história pessoal de Walt Disney — que perseverou durante anos em uma área ainda incipiente, tentando abrir um estúdio próprio e desenvolvendo técnicas originais de animação — não é coincidência.

Outra obsessão de Disney era o embelezamento do mundo, o que se tornou essencial para a maneira como ele animava seus contos de fadas. Tudo o que Walt Disney produziu fazia parte de uma tentativa de se aproximar ao máximo de uma realidade perfeita, que pudesse ser apreciada — e consumida — por todos. Isso está claro na maneira como concebeu seus parques de diversão, por exemplo. Os cenários são coloridos e comunicativos, e os bonecos ostentam um sorriso permanente para recepcionar os visitantes. Não existem cantos escuros ou sujos na Disneylândia ou no Walt Disney World. Há carrosséis coloridos feitos de xícaras dançantes ou elefantes voadores de orelhas grandes. Tudo é muito inofensivo, didático, adorável. Enquanto era vivo, Walt caminhava incessantemente pelas avenidas artificiais da Disneylândia para garantir que tudo sempre estivesse imaculado.

A mania pela perfeição fica evidente também no traço fofinho e redondinho de seus desenhos animados. Como consequência, os objetos licenciados e inspirados neles também são previsivelmente impecáveis, com personagens coloridos, de grandes olhos arredondados e simpáticos sorrisos desarmantes, como Mickey Mouse ou Buzz Lightyear. Nada é excessivamente sombrio e as tristezas não podem durar mais de alguns minutos. Escreve Neal Gabler, seu biógrafo no livro *Walt Disney: The Triumph of the American Imagination* [*Walt Disney: o triunfo da imaginação americana*]:

> Disney entendia de realização de sonhos, o que pode explicar por que seus próprios desejos se conectavam tão poderosamente com os de seu público. Ele começou a desenhar e a se esconder em seu próprio mundo imaginário ainda durante a infância, cheia de privações materiais e emocionais. Sua vida seria um esforço constante de criar o que os psicólogos chamam de "paracosmo", um universo inventado que ele podia controlar, ao contrário da realidade.[57]

Não foi à toa que Walt Disney escolheu a animação para suas criações: em nenhuma outra forma de representação ele teria tanto controle para inventar mundos impecáveis, esteticamente bonitos e completamente livres de tristeza. Nesse universo controlado e perfeito, Disney acabou eliminando todo e qualquer sinal de violência ou indecência de suas criações. Entre elas, os contos de fadas. Hoje, graças a Disney, a maior parte das pessoas nem sequer imagina que as histórias originais pudessem trazer passagens violentas. É como se ele tivesse lido as histórias de Perrault e dos irmãos Grimm e dissesse: "Legal isso, mas agora vamos fazer sem toda essa sujeira".

Foi assim que gerações e gerações de crianças cresceram sem saber que a Pequena Sereia morre no final, que dois dos três porquinhos são devorados vivos pelo Lobo Mau, que Rapunzel (*Enrolados*, na versão Disney) engravida do príncipe ainda dentro da torre e que é o próprio pai de Bela que entrega a filha à Fera. Talvez nem todas essas passagens sejam adequadas para o público jovem, mas elas faziam parte de uma cultura tradicional que era transmitida havia séculos. Apesar de seu enorme trabalho de divulgação dos contos, Disney deixou pouco espaço para a imaginação. Atualmente, é difícil imaginar uma Branca de Neve sem um vestido amarelo com bufantes mangas azuis ou uma Ariel sem sua esvoaçante cabeleira vermelha. Disney substituiu as narrativas tradicionais por suas próprias versões, já com direito a roteiro adaptado e final feliz para sempre.

## Contos de escassez

Olhando para a vida pessoal de Hans Christian Andersen e Walt Disney, é fácil reconhecer um dos temas centrais dos contos: o sonho de uma vida melhor e as peripécias para chegar até lá. Quem leu muitos contos de fadas já deve ter reparado na sua estrutura comum. As histórias começam sempre da mesma forma. Diante de uma situação adversa, o protagonista sente que algo está faltando em sua vida — ou quer melhorar de condições, ou é colocado em alguma posição instável por outra pessoa. Assim, ele não vê nenhuma opção a não ser sair pelo mundo. Em seu caminho, o herói vive uma série de aventuras extraordinárias, passa por testes terríveis e derrota inimigos assustadores, antes de voltar transformado para casa — ou morrer no meio da transformação.

Quem analisou essa estrutura comum das narrativas foi o mitólogo Joseph Campbell. Ele era obcecado por mitos e comparou histórias religiosas do mundo todo antes de criar a sua teoria da "jornada do herói". Para os folcloristas, muitos dos contos de fadas carregam a mesma essência. O caminho pelo qual os protagonistas das historietas passam segue o roteiro das aventuras dos heróis mitológicos. De acordo com Campbell, a estrutura é universal e aparece em toda parte em que se conta um bom mito.

Como já vimos, contos folclóricos não são mitos. Ainda assim, as aventuras pelas quais seus protagonistas passam são parecidas. Vejamos o exemplo de *O pequeno Polegar*, de Charles Perrault. Nele, o polegarzinho é abandonado pelo pai junto com seis irmãozinhos no meio da floresta. Eles caminham e chegam à casa de um ogro aterrorizante. Sem saída, decidem passar a noite lá. Depois de enganar o vilão e levá-lo a matar suas sete filhas em vez dos sete hóspedes, o pequeno Polegar foge com as botas de sete léguas e leva todos os irmãos sãos e salvos para casa. É uma jornada do herói de bolso.

O mesmo acontece com o patinho feio. Depois de ser expulso da família adotiva por não se parecer nem um pouco com os irmãos, o patinho passa por uma série de dificuldades: é humilhado por outros animais e banido de um lar humano. Apenas no final, depois de uma grande metamorfose (no caso, crescer e se transformar em cisne), é que o patinho feio consegue encontrar sua verdadeira família. A estrutura é tão universal e ressona nas mentes de tantas pessoas que até hoje em dia contadores de histórias se utilizam dela para criar suas obras.

De fato, quando andava escrevendo *Guerra nas estrelas*, George Lucas foi pedir ajuda a Campbell para tornar sua história a mais universal possível. "Quando fiz *Guerra nas estrelas*, estava conscientemente tentando recriar os mitos e os temas clássicos da mitologia", declarou Lucas.[58] Ele conseguiu: o caminho de Luke Skywalker é a jornada do herói do começo ao fim, o que pode ajudar a explicar o sucesso da saga estelar.

A jornada do herói pressupõe um ponto inicial do qual o protagonista tem de se afastar. No caso dos contos de fadas, é um mundo de privações. Pobreza e contos de fadas combinam como "era uma vez" e "viveram felizes para sempre". Sem o primeiro, não haveria o segundo — e é por isso que tantas histórias discorrem sobre um personagem que sai de casa em busca de um reino encantado ou riquezas escondidas em terras distantes. É porque esse era o sonho de quem contava esse tipo de história. Mesmo as personagens femininas, que não costumam sair pelo mundo em busca de aventura, acalentam esses sonhos. Todas as meninas dos contos sonham em encontrar um príncipe, não só porque seriam supostamente os pretendentes mais gentis e amorosos, mas principalmente porque um casamento significava ascender socialmente.

Ser rico podia definir quem vivia e quem morria. Se a estrutura dos contos de fadas é sempre parecida, é porque eles têm origem no mesmo lugar (as classes mais baixas) e discorrem sobre as ambições dessas mesmas pessoas (uma vida sem privações). Os contos ofereciam a oportunidade de escapar por um tempo da dura realidade e fantasiar com um mundo onde as coisas pudessem ser melhores. As chances reais de algo assim acontecer eram minúsculas — mas isso não impedia as histórias de serem contadas, assim como insistimos em jogar na loteria, ainda que contra todas as probabilidades. Mesmo quando apresentavam enredos com finais trágicos ou mortes, os contos serviam de orientação e localização em uma realidade dura.

Robert Darnton é um historiador estadunidense que estudou as condições de vida da época em que os contos de fadas ainda eram relatados em choupanas de camponeses e ao redor de fogueiras. Ele se especializou na França dos séculos XV ao XVIII — antes da Revolução Francesa —, bem o tempo que serviria de inspiração para as narrativas de Charles Perrault. As descrições que ele faz da vida camponesa são generalizadas, mas servem para entender a situação.

Segundo ele, os franceses daquele tempo já tinham conseguido se livrar do estado de completa servidão e podiam desfrutar de algumas liberdades individuais. Ainda assim, a terra era escassa e a pobreza era a regra geral para a população, que flutuava entre 15 e 20 milhões de pessoas. As ferramentas de trabalho no campo eram parecidas com as que existiam desde a Roma antiga (ou seja, pouco eficientes), e diversas famílias trabalhavam juntas no mesmo pedaço de terreno — que, de tanto uso, acabava tornando-se árido. Era difícil extrair alimento para sobreviver dessas terras exauridas. Comida, entre as camadas mais baixas, era rara e obtida com muito suor.

Para piorar, ainda havia os impostos. Eles estavam em toda parte. Os camponeses eram obrigados a pagar taxa sobre a terra, dízimo da igreja, imposto para o senhor local e qualquer outra forma de cobrança que pudesse ser inventada. Para poder honrar todas as contas, os camponeses mais pobres geralmente faziam empréstimos com aqueles que tinham conseguido juntar algum dinheiro. Isso deixava os primeiros nas mãos dos segundos e aumentava a distância financeira entre os dois. Muitos tinham de trabalhar para pagar as dívidas. Atuavam como aprendizes em troca de salários irrisórios, num esquema parecido com a servidão — o que perpetuava um interminável ciclo de pobreza.

A tradição dos impostos rígidos vinha de longa data e não dava sinais de se extinguir. Já no século XIV, uma nobre francesa disse que não conseguiu fazer com que uma de suas servas pagasse taxas. A mulher não teve dúvidas: resolveu confiscar a filha da camponesa. A situação acabou meio parecida com a de Rapunzel, a menina que foi cedida a uma bruxa má porque o pai havia roubado um legume do jardim da feiticeira. No caso da vida real, a nobre ficou com a filha, criou-a e tratou de casá-la quando achou conveniente.

Como se pode imaginar, no meio de tanta escassez, o clima nas aldeias não era dos melhores. Se a colheita do ano não fosse bem-sucedida, por exemplo, o jeito era comprar comida de quem tinha em excesso, geralmente a preços exorbitantes. Muitos ficavam sem opção e abandonavam as cidades natais para tentar a vida em algum lugar distante, onde a promessa de vida melhor ainda existisse. A pobreza serviu como força motriz de migrações ao longo de séculos. (Como vimos, foi uma migração que acabou inspirando *O flautista de Hamelin*.) Isso explica por que histórias de riquezas e príncipes encantados tinham tanto apelo.

Outro detalhe dos contos de fadas que parece invenção, mas que acontecia na vida real, eram os tesouros escondidos. Em um mundo no qual pessoas não tinham acesso a bancos ou cofres para guardar seus bens mais valiosos, o jeito era recorrer a buracos no chão, fundos falsos em árvores ou nichos escondidos na parede. A possibilidade de encontrar um tesouro secreto em algum canto remoto era real.

De acordo com o historiador estadunidense Eugen Weber, que analisou os fatos históricos dos principais temas dos contos de fadas, de cada cem casos judiciais de disputas por dinheiro entre camponeses do sul da França, 37 discorriam sobre riquezas encontradas no campo ou enterradas à beira de estradas. Ele relata também um caso específico, ocorrido perto de Montpellier, no final do século XIX, em que dois homens encontraram um saco de moedas de ouro escondido dentro de uma amendoeira; e outro, também na França, em que um bandido invadiu a tumba de uma baronesa em busca da riqueza que fora enterrada com ela. Isso mostra que fazia sentido contar histórias de tesouros escondidos — a possibilidade existia.

Na falta de outras armas para lutar contra a pobreza ou para enriquecer por meios legais, a inteligência e a astúcia eram valorizadas. Muitas narrativas giram em torno de um protagonista esperto o suficiente para quebrar o sistema e se dar bem. *O Gato de Botas* é um exemplo, como já vimos, com o qual o próprio Walt Disney se identificou. Na verdade, trata-se da história de um malandro. O felino é apresentado como alguém muito astuto e sagaz. Graças à sua inteligência, ele faz o rei acreditar que seu dono é um respeitável marquês, e não um simples camponês. Em seguida, derrota um ogro, convencendo-o a se transformar em camundongo — apenas para devorá-lo em seguida. Por último, o gato toma o castelo do ogro e o dá de presente ao dono. De pobretão e filho injustiçado, o rapaz se torna nobre, com castelo e tudo, prometido à princesa mais desejada do planeta. Tudo em poucos dias. E tudo graças à esperteza do felino.

Há outros contos com a mesma temática, como *João e o pé de feijão*, no qual o pequeno João consegue roubar de um gigante assustador tesouros e uma pata que bota ovos de ouro, ou *O pequeno Polegar*, que escapa de virar jantar de ogro graças à sua astúcia. Todos usam a esperteza para derrotar os grandes e poderosos.

Contar esse tipo de história era uma forma de lidar com as injustiças do mundo. Também dava esperanças aos camponeses de que, um dia, eles pudessem passar a rasteira nos mais endinheirados. Mesmo que isso jamais acontecesse — as chances de algo assim acontecer na vida real eram ínfimas —, as histórias serviam como piada e zombaria daqueles que os oprimiam. Eram válvula de escape. "Contos de fadas narram a ascensão de um único herói central à medida que ele se move através de um reino mágico e estranho, a partir de uma condição oprimida no monótono mundo cotidiano, em direção a uma nova realidade radiante",[59] escreve Maria Tatar, especialista nos contos e autora de diversos livros sobre o assunto. É o incansável relato de uma volta por cima.

Por isso, as histórias dão o papel principal ao mais injustiçado, indefeso e inesperado dos heróis. Os protagonistas dos contos raramente são pessoas bem-sucedidas dos reinos encantados. Geralmente ouvimos as histórias do ponto de vista dos menos afortunados: um irmão mais novo, uma menina órfã, um filhote de cisne deslocado num ninho de patos. É só pensar nos personagens principais dos contos mais queridos: Cinderela é a menina que perdeu a mãe e é maltratada pela madrasta; Ariel é a caçula de seis irmãos; João e Maria são crianças abandonadas numa floresta. E não para por aí. (A única exceção são contos passados no núcleo da realeza, como *A Branca de Neve* e *A Bela Adormecida*. E ainda assim não dá para dizer que seus protagonistas tenham uma vida mansa.)

Psicanalistas dizem que essa é uma escolha natural dos narradores, para fazer com que os leitores infantis se identifiquem com os personagens; afinal, poucos seres no mundo são tão indefesos quanto uma criança.

Escreve o psicanalista Bruno Bettelheim:

> No nível mais simples e direto, os contos de fadas nos quais o herói é o mais novo ou o mais incapaz oferecem à criança um consolo e uma esperança para o futuro. Apesar de a criança fazer pouco de si mesma — uma visão que ela projeta na visão que os outros têm dela — e temer que jamais vá prestar para nada, a história mostra que ela já está começando a desenvolver seus potenciais.[60]

Mas a escolha pelo mais fraco pode também ter se originado do ponto de vista histórico. Nesse caso, das pessoas que contavam as narrativas folclóricas: de origem humilde, elas também eram as mais frágeis e exploradas da sociedade. Sem comida nem dinheiro e cheias de dívidas, só lhes restava se aproveitar de magia e truques para sobreviver. Contos de fadas eram, enfim, uma maneira de manter a esperança viva. Que o digam Hans Christian Andersen e Walt Disney.

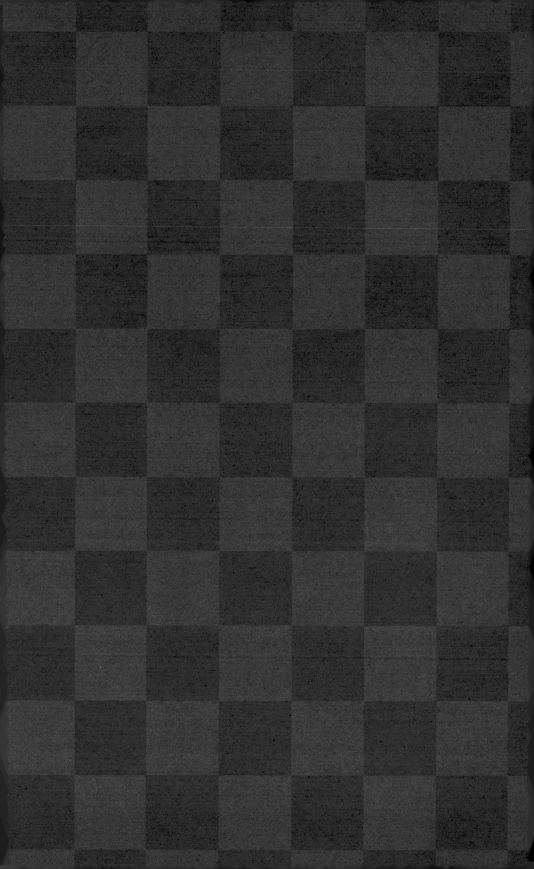

# Epílogo
## POR QUE OS CONTOS DE FADAS NUNCA VÃO MORRER

Em 1812, Wilhelm e Jacob Grimm introduziram sua coletânea de contos de fadas dizendo que as histórias haviam sobrevivido até seus dias graças a uma série de ambientes e costumes que preservavam a tradição: "Os lugares junto da lareira, o forno de lenha na cozinha, escadarias, feriados ainda festejados, pastagens e florestas silenciosas e, antes de tudo, a pura fantasia são as cercas que as pouparam e transmitiram a tradição de uma época à outra".[61]

Preciso discordar dos autores alemães. Apesar de extintas as conversas ao redor da roca de fiar e as noites frias aquecidas pela fogueira, os contos sobrevivem mais fortes do que nunca. Adaptaram-se ao improvável mercado de entretenimento do século XX e não param de ser recriados no século XXI em cinema, seriados de TV, peças de teatro e livros para jovens e não tão jovens assim — até mesmo neste aqui, escrito mais de duzentos anos depois do lançamento do segundo volume de *Contos maravilhosos infantis e domésticos*, num país tão distante geográfica e culturalmente quanto o Brasil. Fornos a lenha foram substituídos por micro-ondas e florestas silenciosas por avenidas ensurdecedoras, e, ainda assim, fantasiamos sobre os destinos de Cinderela, Branca de Neve e seus companheiros. Nada indica que isso vá mudar.

A sobrevivência dos contos tem menos a ver com lugares e hábitos preservados do que com a própria essência de suas narrativas. Enquanto servirem como válvula de escape para um mundo melhor e combustível para a fantasia, as histórias terão espaço nas nossas estantes e canais de streaming. E, nisso, são imbatíveis. Basta ouvir ou ver o inaugural "era uma vez" para o leitor se sentir transportado a um universo mais acolhedor e reconfortante: um lugar de príncipes e princesas, de animais falantes e finais redentores — para não falar da própria infância.

Isso não quer dizer que as histórias são inocentes. Para alcançarem nossos sonhos mais profundos, os contos tiveram de atravessar um passado sombrio, indecente e sangrento. Os resquícios dessa origem pouco nobre ainda estão armazenados em pequenos pedaços de narrativa e uma ou outra palavra sutil. A maior parte das torpezas foi eliminada ao longo dos anos e das versões, mas foi justamente a superação desses problemas que tornou os contos de fadas irresistíveis. Negar essa origem ou tentar varrê-la para debaixo do tapete é esconder também o nosso interesse pelo misterioso e pelo sombrio. Pode até tornar as narrativas mais agradáveis, mas as deixa infinitamente menos interessantes. Hoje, quando se lê uma história anotada há centenas de anos e a milhares de quilômetros de distância da nossa realidade, o trabalho a ser feito é outro: saber que se trata de um mundo diferente do nosso e não usar os personagens como modelo para nossas vidas. Querer ser uma princesa no Brasil do século XXI, por exemplo, é uma tarefa inglória e receita para frustrações.

Ainda assim, é compreensível que os contos de fadas sobrevivam. Eles persistirão em superproduções hollywoodianas e em livros infantis para a mais tenra idade. Mas também nas suas versões originais com meninas de chapéus vermelhos que se alimentam de carne humana, mocinhas violentadas durante o sono ou crianças abandonadas na floresta. É importante conhecer as variantes ancestrais, e é este o intuito deste livro: espalhar as versões mais sombrias dos contos de fadas. Não há nada de errado nas verdades que essas cenas amedrontadoras nos ensinam. Junto a elas estão também as origens de nossas mitologias, de nossas inquietações e de nossa própria humanidade.

# Agradecimentos

Agradeço à minha família. Aos meus pais, Martin e Célia, por todas as coleções de contos de fadas que me deram quando criança e por me ensinarem alemão, que foi tão útil para a pesquisa deste livro. Agradeço também ao meu irmão, Mathias, pelas horas passadas interpretando *Chapeuzinho Vermelho* com bonecos de dedo.

Sou grata ao Fred Di Giacomo, meu companheiro e grande incentivador da minha escrita, pelas leituras atentas, mas principalmente pela paciência de ouvir de antemão cada história que pensei em incluir neste livro e por fingir interesse mesmo na mais desinteressante delas.

Aos meu filhos Benjamin e Violeta, que nasceram ao longo do processo de escrever e editar este livro e que enchem os meus dias de alegria. Que cresçam amando boas histórias e que façam de suas vidas sempre uma grande aventura.

Agradeço também a Alexandre Versignassi, por acreditar neste livro e fazer com que ele fosse publicado pela primeira vez há tantos anos. Sou grata a Raquel Cozer e a Laura Folgueira, por abrirem as portas para mim na HarperCollins. E, claro, meu "muito obrigada" às minhas cuidadosas e afiadíssimas editoras: Diana Szylit, Vanessa Nagayoshi e Camila Gonçalves. Gostaria de agradecer também à Isabella Valhosa, pela capa e pelas ilustrações lindas, e a Beatriz Lopes. Mando meu agradecimento a quem tornou este livro tão lindo desde a sua primeira edição: Mayra Fernandes, Fabrício Miranda, Alexandre Carvalho e Anderson Faria.

Agradeço a Mariana Nadai, Cecilia Di Giacomo, Cláudia Fusco e Luisa Destri pelos livros emprestados e indicados. Quem não tem bibliografia não tem nada.

Sou grata aos pesquisadores do Museu Grimm, de Kassel, e da cidade de Hamelin, por terem me recebido. Ao D. L. Ashliman, pesquisador da Universidade de Pittsburgh, que compilou incansavelmente todas as versões de todos os contos de fadas em seu arquivo on-line.

Por fim, agradeço à cidade de Berlim, onde boa parte deste livro foi escrita, por seu ambiente tranquilo e pelo inverno interminável, tão propícios para o trabalho.

# Notas

1 CALVINO, Italo. *Fábulas italianas*. 1. ed. São Paulo: Companhia das Letras, 1992. p. 18.

2 ARCHIBALD, Elizabeth. *Incest and the Medieval Imagination*. Oxford: Oxford University Press, 2001. p. 95. (Traduzido pela autora.)

3 JUNG, Carl G. *O homem e seus símbolos*. Rio de Janeiro: Nova Fronteira, 2008. p. 83.

4 CAMPBELL, Joseph. *O poder do mito, com Bill Moyers*. São Paulo: Palas Athena, 2014. p. 45.

5 ZIPES, Jack. *The Irresistible Fairy Tale: The Cultural and Social History of a Genre*. Nova Jersey: Princeton University Press, 2012. (Traduzido pela autora.)

6 LAUER, Bernhard. Entrevista concedida à autora. 18 fev. 2014.

7 GRIMM, Wilhelm e Jacob. *Contos maravilhosos infantis e domésticos*. v. 1. São Paulo: Cosac Naify, 2012. pp. 138-9

8 PERRAULT, Charles. *Contos de Perrault*. Belo Horizonte: Vila Rica, 1994.

9 PERRAULT, Charles. *Histoires ou Contes du temps passé avec des moralités*. Paris, 1697. (Traduzido pela autora.)

10 *A BÍBLIA SAGRADA*, Timóteo 2,11.

11 *A avó*, conto popular colhido por volta de 1870 por Achille Millien. Retirado da coleção de D. L. Ashliman. Disponível em: <http://www.pitt.Edu/~dash/type0333.html#millien>. Acesso em: 29 nov. 2022. (Traduzido pela autora.)

12 GRIMM, Wilhelm e Jacob. Das Eigensinnige Kind. In: *Kinder- und Hausmärchen*, 1857. (Traduzido pela autora.)

13 GRIMM, Wilhelm e Jacob. Wie Kinder Schlachtens miteinander gespielt haben. In: *Kinder- und Hausmärchen*, 1812. (Traduzido pela autora.)

14 BENJAMIN, Walter. The Storyteller: Reflections on the Works of Nicolai Leskov. In: HALE, Dorothy J. *The Novel*: An Anthology of Criticism and Theory 1900-2000. Massachusetts: Blackwell Publishing, 2006.

15 TOLKIEN, J.R.R. *On Fairy Stories*. Londres: HarperCollins Publishers, 2014. (Traduzido pela autora.)

16 GRIMM, Jacob e Wilhelm. *Contos maravilhosos infantis e domésticos*. v. 1. São Paulo: Cosac Naify, 2012. p. 25.

17 RÖLLEKE, Heinz; GRIMM Jacob e Wilhelm. *Kinder- und Hausmärchen*: die handschriftliche Urfassung von 1810. Reclam GmbH, 2007. p. 75. (Traduzido pela autora.)

18 GRIMM, Wilhelm. *Kinder- und Hausmärchen*. Göttingen: Verlag der Dieterichschen Buchhandlung, 1857. p. 264. (Traduzido pela autora.)

19 Uma comparação das versões de 1810, 1812 e 1819 compiladas por D. L. Ashliman. Disponível em: <http://www.pitt.edu/~dash/rumpelstilzchen.html>. Acesso em: 2 dez. 2022.

20 DARNTON, Robert. Peasant Tell Tales. In: *The Great Cat Massacre and Other Episodes in French Cultural History*. Nova York: Vintage Books, 1985. p. 40. (Traduzido pela autora.)

21 GOTTSCHALL, Jonathan. *The Storytelling Animal:* Why Stories Make Us Human. Nova York: Harcourt Publishing Company, 2012. (Traduzido pela autora.)

22 APPLEYARD, J. A. *Becoming a Reader:* The Experience of Fiction from Childhood to Adulthood. Cambridge: Cambridge University Press, 2004. p. 36. (Traduzido pela autora.)

23 BETTELHEIM, Bruno. *The Uses of Enchantment:* The Meaning and Importance of Fairy Tales. Nova York: Vintage Books Edition, 2010. p. 8. (Traduzido pela autora.)

24 BUENO, Michele. *Girando entre princesas:* performances e contornos de gênero em uma etnografia com crianças. 2012. Dissertação (Mestrado em Antropologia Social) — Faculdade de Letras, Filosofia e Ciências Humanas, Universidade de São Paulo, São Paulo, 2012. Disponível em: <https://www. teses.usp.br/teses/disponiveis/8/8134/tde-08012013-124856/pt-br.php>. Acesso em: 5 dez. 2022.

25 BEAUVOIR, Simone de. *O segundo sexo:* fatos e mitos. São Paulo: Difusão Europeia do Livro, 1970. p. 175.

26 CHAMBERLAIN, Geoffrey. British maternal mortality in the 19th and early 20th centuries. *J. R. Soc. Med.* Nov 2006; 99(11): 559-63. (Traduzido pela autora.)

27 GRIMM, Jacob e Wilhelm. *Contos maravilhosos infantis e domésticos.* v. 1. São Paulo: Cosac Naify, 2012. p. 132.

28 BETTELHEIM, Bruno. *The Uses of Enchantment:* The Meaning and Importance of Fairy Tales. Nova York: Vintage Books Edition, 2010. (Traduzido pela autora.)

29 CORSO, Diana Lichtenstein; CORSO, Mário. *Fadas no divã:* psicanálise nas histórias infantis. Porto Alegre: Artmed, 2006. p. 111.

30 GRIMM, Jacob e Wilhelm. Contos maravilhosos infantis e domésticos. v. 1. São Paulo: Cosac Naify, 2012. p. 144.

31 BASILE, Giovanni Battista. *II Pentamerone.* v. 1. Londres: Henry and Co., 1893. (Traduzido pela autora.)

32 ASHLIMAN, D. L. (org.). *Blue Beard*, Charles Perrault. 2003. Disponível em: <http://www.pitt.edu/~dash/perrault03.html>. Acesso em: 2 dez. 2022. (Traduzido pela autora.)

33 WEIR, Alison. *The Six Wives of Henry VIII.* Vintage, 2007. (Traduzido pela autora.)

34 GRIMM, Jacob e Wilhelm. *Contos maravilhosos infantis e domésticos.* v. 1. São Paulo: Cosac Naify, 2012. p. 85.

35 GRIMM, Wilhelm e Jacob. *Kinder- und Hausmärchen.* v. 2. Berlim: 1815. (Traduzido pela autora.)

36 PERRAULT, Charles. *Contos de Perrault.* Vila Rica, 1994.

37 GRIMM, Jacob; GRIMM, Wilhelm. *Contos maravilhosos infantis e domésticos.* v. 1. São Paulo: Cosac Naify, 2012. p. 27.

38 GRIMM, Jacob; GRIMM, Wilhelm. *Contos maravilhosos infantis e domésticos.* v. 1. São Paulo: Cosac Naify, 2012. p. 85.

39 BRUNNER, Karl. *Der Mittelenglischer Versroman über Richard Löwenherz.* Viena e Leipzig: 1913. pp. 533-6. (Traduzido pela autora.)

40 SHAKESPEARE, William. Titus Andrônico. Ridendo Castigat Mores, 2000. Disponível em: <http://www.ebooksbrasil.org/eLibris/andronico.html>. Acesso em: 3 dez. 2022.

41 NOBLE, Louise. "'And Make Two Pasties of Your Shameful Heads': Medicinal Cannibalism and Healing the Body Politic in 'Titus Andronicus'". *ELH*, v. 70, n. 3, 2003. pp. 677-708. Disponível em: <http://www.jstor.org/stable/30029895>. Acesso em: 21 dez. 2022. (Traduzido pela autora.)

42 SUGG, Richard. *Mummies, Cannibals and Vampires*: the History of Corpse Medicine from the Renaissance to the Victorians. Londres: Routledge, 2012. (Traduzido pela autora.)

43 TATAR, Maria. *The Hard Facts of the Grimms' Fairy Tales.* Nova Jersey: Princeton University Press, 2003. pp. 10, 36, 61. (Traduzido pela autora.)

44 BOGUET, Henri. *Examen of Witches.* Dover Publications, 2009. (Traduzido pela autora.)

45 BODIN, Jean. *On the Demon-Mania of Witches.* Toronto: CRRS Publications, 1995. p. 130. (Traduzido pela autora.)

46 KRAMER, Heinrich; SPRENGER, James. *The Malleus Maleficarum.* Nova York: Dover Publications, 1971. Traduzido para o inglês por Montague Summers. (Traduzido pela autora.)

47 KRAMER, Heinrich; SPRENGER, James. *The Malleus Maleficarum.* Nova York: Dover Publications, 1971. Traduzido para o inglês por Montague Summers. (Traduzido pela autora.)

48 LEVACK, Brian P. *The Witch-Hunt in Early Modern Europe.* Londres: Longman, 1995. (Traduzido pela autora.)

49 LIENERT, Eva Maria; LIENERT, Wilhelm. Die geschändete Ehre der Rebekka L oder: Ein ganz normaler Hexenprozeß. 4. ed. *Praxis Geschichte*, 1991. Disponível em: <https://www.yumpu.com/de/document/read/8591680/die-geschandete-ehre-der-rebekka-l-oder-ein-historicumnet>. Acesso em: 22 dez. 2022. (Traduzido pela autora.)

50 LEVACK, Brian P. *The Witch-Hunt in Early Modern Europe*. Londres: Longman, 1995. (Traduzido pela autora.)

51 *"Anno 1284 am dage Johannis Pauli war der 26 juni dorch einen piper mit allerlei farve gekledet gewesen CXXX kinder verledet binnen hameln geboren — to calvarie bi den koppen verloren."* (Traduzido do alemão antigo pela autora.)

52 ANDERSEN, Hans Christian. *The Fairy-Tale of my Life*: An Autobiography. Nova York: Cooper Square Press, 2000. (Traduzido pela autora.)

53 ZIPES, Jack. *Fairy Tales and the Art of Subversion*. Nova York: Routledge, 2012. p. 80. (Traduzido pela autora.)

54 ANDERSEN, Hans Christian. *Contos de Hans Christian Andersen*. São Paulo: Paulinas, 2011. p. 93.

55 ANDERSEN, Hans Christian. *Contos de Hans Christian Andersen*. São Paulo: Paulinas, 2011. p. 99.

56 ZIPES, Jack. *Happily Ever After*: Fairytales, Children and the Culture Industry. Nova York: Routledge, 1997. p. 37. (Traduzido pela autora.)

57 GABLER, Neal. *Walt Disney*: The Triumph of the American Imagination. Nova York: First Vintage Books Edition, 2007. (Traduzido pela autora.)

58 MOYERS, Bill. *The Mythology of 'Star Wars' with George Lucas*. BillMoyers. com, 18 jun. 1999. Disponível em: <https://billmoyers.com/content/mythology-of-star-wars-george-lucas/>. Acesso em: 21 dez. 2022. (Traduzido pela autora.)

59 TATAR, Maria. *The Hard Facts of the Grimms' Fairy Tales*. Princeton University Press, 2003. p. 61. (Traduzido pela autora.)

60 BETTELHEIM, Bruno. *The Uses of Enchantment*: The Meaning and Importance of Fairy Tales. Nova York: Vintage Books Edition, 2010. p. 104. (Traduzido pela autora.)

61 GRIMM, Jacob e Wilhelm. *Contos maravilhosos infantis e domésticos*. v. 1. São Paulo: Cosac Naify, 2012.

# Bibliografia

ANDERSEN, Hans Christian. *Contos de Hans Christian Andersen*. São Paulo: Paulinas, 2011. pp. 9, 93, 99.

_____. *The Fairy-Tale of my Life:* An Autobiography. Nova York: Cooper Square Press, 2000.

APPLEYARD, J. A. *Becoming a Reader:* The Experience of Fiction from Childhood to Adulthood. Cambridge: Cambridge University Press, 2004. p. 36.

ARCHIBALD, Elizabeth. *Incest and the Medieval Imagination*. Oxford: Oxford University Press, 2001. p. 95.

ARENBERG, Nancy. *Mirrors, Cross-dressing and Narcissism in Choisy's Histoire de Madame la Comtesse des Barres*. Orange: Cahiers du Dix-Septième, 2006. p. 19.

ARIÈS, Philippe; DUBY, Georges. *A história da vida privada*. São Paulo: Companhia de Bolso, 2009. pp. 81, 88.

ARMSTRONG, Karen. *A Short History of Myth*. Nova York: Canongate, 2005. p. 1.

ASHLIMAN, D. L. (org.). *Blue Beard, Charles Perrault*. 2003. Disponível em: <http://www.pitt.edu/~dash/perrault03.html>. Acesso em: 2 dez. 2022.

_____. *Folklore and Mythology Electronic Texts*. Pensilvânia: University of Pittsburgh, 1996-2014. Disponível em: <https://sites.pitt.edu/~dash/folktexts.html>. Acesso em: 20 dez. 2022.

_____. The Grandmother. In: *Little Red Riding Hood and other tales of Aarne-Thompson-Uther type 333 translated and/or edited by D. L. Ashliman*. 1999-2021. Disponível em: <http://www.pitt.Edu/~dash/type0333.html#millien>. Acesso em: 29 nov. 2022. (Traduzido pela autora.)

_____. *Rumpelstilzchen von den Brüdern Grimm:* Ein Vergleich der Fassungen von 1810, 1812 und 1819. 2011. Disponível em: <http://www.pitt.Edu/~dash/type0333.html#millien>. Acesso em: 29 nov. 2022. (Traduzido pela autora.)

AVRAMESCU, Catalin. *An Intellectual History of Cannibalism*. Princeton: Princeton University Press, 2009.

BAILEY, Leona G. *Du Fail's Observations of Peasent Life in "Propos Rustique"* in "South Atlantic Bulletin". v. 41, n. 2, 1976.

BARING-GOULD, Sabine. *The Book of Were-Wolves*. Londres: Smith, Elder & Co., 1865, Project Gutenberg.

BASILE, Giovanni Battista. *Il Pentamerone*. v. 1 e 2. Londres: Henry and Co., 1893. pp. 97, 141 (v. 1); p. 539 (v. 2).

BEAUVOIR, Simone de. *O segundo sexo:* fatos e mitos. São Paulo: Difusão Europeia do Livro, 1970. p. 175.

BENJAMIN, Walter. *The Storyteller:* Reflections on the Works of Nicolai Leskov. In: HALE, Dorothy J. *The Novel:* An Anthology of Criticism and Theory 1900-2000. Massachusetts: Blackwell Publishing, 2006.

_____. *The Storyteller Essays*. New York Review of Books, 2019.

BETTELHEIM, Bruno. *The Uses of Enchantment:* The Meaning and Importance of Fairy Tales. Nova York: Vintage Books Edition, 2010. pp. 8, 104. [Ed. bras.: *A psicanálise dos contos de fadas*. 42. ed. Rio de Janeiro: Paz & Terra, 2021.]

Bíblia Sagrada Nvi. São Paulo: Thomas Nelson Brasil, 2020.

BISHOP, Morris. *A Gallery of Eccentrics*. Minton, Balch & Co, 1928.

BODIN, Jean. *On the Demon-Mania of Witches*. Toronto: CRRS Publications, 1995. p. 130.

BOGUET, Henri. *Examen of Witches*. Dover Publications, 2009.

BRAUDEL, Fernand. *Civilization and Capitalism, 15th-18th Century:* The Structure of Everyday Life. Califórnia: University of California Press, 1992. p. 196.

BRUNNER, Karl. *Der Mittelenglischer Versroman über Richard Löwenherz*. Viena e Leipzig: W. Braumüller, 1913. pp. 533-6.

BUENO, Michele. *Girando entre princesas:* performances e contornos de gênero em uma etnografia com crianças. 2012. Dissertação (Mestrado em Antropologia Social) — Faculdade de Letras, Filosofia e Ciências Humanas, Universidade de São Paulo, São Paulo, 2012. Disponível em: <https://www.teses.usp.br/teses/disponiveis/8/8134/tde-08012013-124856/pt-br.php>. Acesso em: 5 dez. 2022.

CALVINO, Italo. *Fábulas italianas*. 1. ed. São Paulo: Companhia das Letras, 1992. p. 257.

CAMPBELL, Joseph. *O poder do mito, com Bill Moyers*. São Paulo: Palas Athena, 2014. p. 45.

CARTER, Anthony John. Myths and Mandrakes. *Journal of the Royal Society of Medicine*, v. 96, mar. 2003. p. 144.

CARVALHO, Raimundo Nonato Barbosa de. *Metamorfoses em tradução*. 2010. Trabalho de conclusão (Pós-doutoramento em Letras Clássicas) — Faculdade de Letras, Filosofia e Ciências Humanas, Universidade de São Paulo, São Paulo, 2010.

CASCUDO, Luís da Câmara. *Folclore do Brasil*. Portugal: Editôra Fundo de Cultura, 1967.

CATHER, Willa. *O Pioneers!* Boston: Houghton Mifflin Company, 1913.

CHAMBERLAIN, Geoffrey. British Maternal Mortality in the 19th and early 20th Centuries. *J. R. Soc. Med.* Nov 2006; 99(11): 559-63.

CHESTERTON, G. K. *Tremendous Trifles*. Nova York: Dodd, Mead and Co., 1909.

COONTZ, Stephanie. *Marriage, a History*: How Love Conquered Marriage. Nova York: Penguin Books, 2005. pp. 6, 92, 121, 125, 135.

CORSO, Diana Lichtenstein; CORSO, Mário. *Fadas no divã*: psicanálise nas histórias infantis. Porto Alegre: Artmed, 2006. p. 111.

CRAFT, Kimberly. *Infamous Lady*: The True Story of Countess Erzsébet Bathory. CreateSpace Independent Publishing Platform, 2009.

CUERVO, Maria Perez. The Lost Children of Hamelin. *Fortean Times*, n. 264, 2010.

DARNTON, Robert. Peasant Tell Tales. In: *The Great Cat Massacre and Other Episodes in French Cultural History*. Nova York: Vintage Books, 1985. p. 20

_____. *The Great Cat Massacre*: And Other Episodes in French Cultural History. Nova York: Basic Books, 2009. pp. 25, 27.

DICKENS, Charles. *A Christmas Tree (1850) By: Charles Dickens (Include: A Child's Dream of a Star and The Child's Story)*. Createspace Independent Publishing Platform, 2016.

DOBBIE, Willmott B. M. An Attempt to Estimate the True Rate of Maternal Mortality, Sixteenth to Eighteenth Centuries. *Medical History* 26.1 (1982): 79-90.

ERASMUS, Desiderius. *The Colloquies of Desiderius Erasmus*: Concerning Men, Manners and Things. Ed. Rev. E. Johnson. Londres: Gibbins&Company, 1900.

FANSLER, Dean S. *Filipino Popular Tales*. Lancaster, PA, e Nova York: American Folk-Lore Society, n. 45B, p. 314-16, 1921.

GABLER, Neal. *Walt Disney*: The Triumph of the American Imagination. Nova York: First Vintage Books Edition, 2007.

GOTTSCHALL, Jonathan. *The Storytelling Animal*: Why Stories Make Us Human. Nova York: Harcourt Publishing Company, 2012.

GRADA, Cormac; CHEVET, Jean-Michel. Famine and Market in Ancién Regime France. *The Journal of Economic History*, v. 62, n. 3, 2002. pp. 706-33.

GRIMM, Jacob; GRIMM, Wilhelm. *Contos maravilhosos infantis e domésticos*. v. 1. São Paulo: Cosac Naify, 2012. p. 25, 85, 132, 236.

_____. Das Eigensinnige Kind. In: *Kinder- und Hausmärchen*, 1857. (Traduzido pela autora.)

_____. *Die Kinder zu Hameln. Deutsche Sagen*. Berlim: In der Nicolaischen Buchhandlung, 1816. pp. 330-3.

_____. *Kinder- und Hausmärchen*. v. 2. Berlim: 1815. (Traduzido pela autora.)

_____. *Kinder- und Hausmärchen*. Göttingen: Verlag der Dieterichschen Buchhandlung, 1857. p. 264.

_____. Wie Kinder Schlachtens miteinander gespielt haben. In: *Kinder- und Hausmärchen*, 1812. (Traduzido pela autora.)

HERMANSSON, Casie E. *Bluebeard*: a Reader's Guide to the English Tradition. Jackson: University Press of Mississippi, 2009. p. 17.

ILLIS, L. S. On Porphyria and the Aetiology of Werwolves. *Proc. R. Soc. Med.*, 57, 1964, (1): p. 23-6.

JUNG, Carl G. *O homem e seus símbolos*. Rio de Janeiro: Nova Fronteira, 2008. p. 83.

KERTZER, David; BARBAGLI, Marzio. *Family Life in Early Modern Times, 1500-1789*. v. 1. New Haven: Yale University Press, 2001. p. 11. (The History of the European Family).

KÖHLER, Otto. Ist das die Wahrheit über Hänsel und Gretel?. *Zeit Online*, 25 out. 1963. Disponível em: <https://www.zeit.de/1963/43/ist-das-die-wahrheit-ueber-haensel-und-gretel>. Acesso em: 26 dez. 2022.

KRAMER, Heinrich; SPRENGER, James. *The Malleus Maleficarum*. Nova York: Dover Publications, 1971. Traduzido por Montague Summers.

LANGENFELD, Friedrich Spee von. *Cautio Criminalis, or a Book on Witch Trials*. Virgínia: University of Virginia Press, 2003.

LAUER, Bernhard. Entrevista concedida à autora. 18 fev. 2014.

LEVACK, Brian P. *The Witch-Hunt in Early Modern Europe*. Londres: Longman, 1995.

LEWIS, C. S. *Of Other Worlds*: Essays and Stories. Nova York: A Harvest Book, 1996.

LEWIS, Jemima. Why All Parents Have a Favorite Child. *The Telegraph*, 11 dez. 2011. Disponível em: <http://www.telegraph.co.uk/women/mother-tongue/8943106/Why-all-parents-have-a-favourite-child.html>. Acesso em: jan. 2015.

LIENERT, Eva Maria; LIENERT, Wilhelm. Die geschändete Ehre der Rebekka L oder: Ein ganz normaler Hexenprozeß. 4. ed. *Praxis Geschichte*, 1991. Disponível em: <https://www.yumpu.com/de/document/read/8591680/die-geschandete-ehre-der-rebekka-l-oder-ein-historicumnet>. Acesso em: 22 dez. 2022.

MACFARLANE, Alan. The Dimensions of Famine. 2002. p. 7. Disponível em: <www.alanmacfarlane.com/savage/A-FAM.PDF>. Acesso em: 5 dez. 2022.

_____. Witchcraft in Tudor and Stuart Essex. In: *Witchcraft, Confessions and Accusations*. Londres: Tavistock, 1970. p. 87.

*MÄRCHEN und Sagen: Botschaften aus der Wirklichkeit. Kirsten Hoehne. Spiegel TV GmbH, 2005. (43 min.)*.

MOYERS, Bill. *The Mythology of 'Star Wars' with George Lucas*. BillMoyers. com, 18 jun. 1999. Disponível em: <https://billmoyers.com/content/mythology-of-star-wars-george-lucas/>. Acesso em: 21 dez. 2022.

NANÔ, Fabiana. Percentual de solteiros supera o de casados, mas há mais pessoas em união conjugal, aponta IBGE. UOL, 21. nov. 2012. Disponível em: <http://noticias.

uol.com.br/cotidiano/ultimas-noticias/2012/09/21/numero-de-solteiros-cresce-e-ultrapassa-o-de-casados-no-pais-aponta-ibge.htm>. Acesso em: jan. 2015.

"NEWES from Scotland: Declaring the damnable life of Doctor Fian a notable sorcerer, who was burned at Edenbrough in Ianuarie last", panfleto, Londres, 1591.

NOBLE, Louise. "'And Make Two Pasties of Your Shameful Heads': Medicinal Cannibalism and Healing the Body Politic in 'Titus Andronicus.'". *ELH*, v. 70, no. 3, 2003. pp. 677-708. Disponível em: <http://www.jstor.org/stable/30029895>. Acesso em: 21 dez. 2022. (Traduzido pela autora.)

OLDRIDGE, Darren. *Strange Histories*: The Trial of the Pig, the Walking Dead, and Other Matters of Fact from the Medieval and Renaissance Worlds. Londres: Routledge, 2004. pp. 39-40.

ORENSTEIN, Catherine. *Little Red Riding Hood Uncloaked*: Sex, Morality, And The Evolution of A Fairy Tale. New York: Basic Books, 2003. pp. 28, 36, 56, 200.

PARADIZ, Valerie. *Clever Housemaids*: The Secret History of the Grimms Fairy Tales. Nova York: Basic Books, 2005. p. 155.

PERRAULT, Charles. *Contos de Perrault*. Belo Horizonte: Vila Rica, 1994. pp. 52, 91.

_____ . *Histoires ou Contes du temps passé avec des moralités*. Paris, 1697. (Traduzido pela autora.)

PERRAULT, Charles; CLARKE, Harry. *The Fairy Tales of Charles Perrault*. Londres: Harrap, 1922.

PINKER, Steven. *Os anjos bons da nossa natureza*: por que a violência diminuiu. São Paulo: Companhia das Letras, 2013. pp. 55, 86.

PRINCE, Merall L. *Consuming Passions*: The Uses of Cannibalism in Late Medieval and Early Modern Europe. Nova York: Taylor & Francis, 2003.

RÖLLEKE, Heinz. *Die Märchen der Brüder Grimm*. Stuttgart: Reclam, 2012. pp. 10, 11, 15, 18.

RÖLLEKE, Heinz; GRIMM, Jacob e Wilhelm. *Kinder- und Hausmärchen*: die handschriftliche Urfassung von 1810. Ditzingen: Reclam GmbH, 2007. p. 75.

RUMPELSTILZCHEN von den Brüdern Grimm. Disponível em: <https://sites.pitt.edu/~dash/rumpelstilzchen.html>. Acesso em: 21 dez. 2022.

SEGALEN, Martine. Women, Family and Ritual in Renaissance Italy by Christiane Klapisch-Zuber. In: *American Journal of Sociology*, v. 92, n. 1, 1986. p. 204.

SHAKESPEARE, William. *Titus Andrônico*. Ridendo Castigat Mores, 2000. Disponível em: <http://www.ebooksbrasil.org/eLibris/andronico.html>. Acesso em: 3 dez. 2022.

SCHILLER, Frederick. *The Piccolomini, Or the First Part of Wallenstein, a Drama in Five Acts*. Londres: T. N. Longman and O. Rees, 1800.

SHULMAN, David. *The Hungry God*: Hindu Tales of Filicide and Devotion. Chicago: University of Chicago Press, 1993. p. 2.

STINSON, F. S. Prevalence, correlates, disability, and comorbidity of DS-M-IV narcissistic personality disorder: results from the wave 2 national epidemiologic survey on alcohol and related conditions. *Journal of Clinical Psychiatry*, 2008 Jul; 69 (7): 1033-45.

SUGG, Richard. *Mummies, Cannibals and Vampires*: The History of Corpse Medicine from the Renaissance to the Victorians. Londres: Routledge, 2012. pp. 17, 46.

SUITOR, J. Jill; GILLIGAN, Megan; PILLEMER, Karl. Continuity and Change in Mothers' Favoritism Toward Offspring in Adulthood. *Journal of Marriage and Family*, v. 75, n. 5, 2013. pp. 1229-47.

TATAR, Maria. *The Hard Facts of the Grimms' Fairy Tales*. Nova Jersey: Princeton University Press, 2003. pp. 10, 36, 61.

TOLKIEN, J.R.R. *On Fairy Stories*. Londres: HarperCollins Publishers, 2014.

_____. *Árvore e folha*. Rio de Janeiro: HarperCollins, 2020.

TOSI, Marcos. Brasileiros comem quase tanta carne como americanos — mas só na aparência. *Gazeta do Povo*, Paraná, 3 jan. 2018. Disponível em: <https://www.gazeta-dopovo.com.br/agronegocio/pecuaria/brasileiros-comem-quase-tanta-carne-como-ame-ricanos-mas-so-na-aparencia-4g3fcb1sxnvrfmmit6uao4jhn/>. Acesso em: 21 dez. 2022.

UDOLPH, Jürgen. Zogen die Hamelner Aussiedler nach Mähren? - Die Rattenfängersage aus namenkundlicher Sicht. In: *Niedersächsisches Jahrbuch für Landesgeschichte*, n. 69, 1997. pp. 125-183.

UNICEF. *Levels and trends in child mortality*. 2013. Disponível em: <http://www.childinfo.org/files/Child_Mortality_Report_2013.pdf>. Acesso em: 21 dez. 2022.

VALLANTIN, Catherine Velay. Barbe-bleue, le dit, l'écrit, le représenté. In: *Romantisme*, n. 78, 1992. p. 75-90.

VILLALON, L. J. Andrew; KAGAY, Donald (org.). *The Hundred Years War Part III*: Further Considerations. Boston: Brill, 2013.

VIZETELLY, Ernest Alfred. *Bluebeard*: an Account of Comorre the Cursed and Gilles de Rais. Londres: Chatto & Windus, 1902.

VIERECK, George Sylvester. What life means to Einstein: An Interview by George Sylvester Viereck. The Saturday Evening Post, 26 out. 1929. Disponível em: <https://www.saturdayeveningpost.com/wp-content/uploads/satevepost/what_life_means_to_einstein.pdf>. Acesso em: 23 dez. 2022.

WÄHLER, Martin. Der Kindertanzzug von Erfurt nach Arnstadt im Jahre 1237. Zeitschrift des Vereins für Thüringische Geschichte und Altertumskunde, 1940, v. 34. pp. 65-76.

WARNER, Marina. *From the Beast to the Blonde*: On Fairy Tales and their Tellers. Londres: Vintage, 1995. pp. 218, 228, 242, 261, 263, 285, 290.

WEBER, Eugen. Fairies and Hard Facts: The Reality of Folktales. *Journal of the History of Ideas*. University of Pennsylvania Press, v. 42, n. 1, Jan.-Mar. 1981. pp. 95, 102, 112.

WEIR, Alison. *The Six Wives of Henry VIII*. Vintage, 2007.

WELLS, Jonathan C.K.; DESILVA, Jeremy M.; STOCK, Jay T. The obstetric dilemma: An ancient game of Russian roulette, or a variable dilemma sensitive to ecology? *American Journal of Physical Anthropology*, 2012, 149(S55). p. 40.

WOOD, Gaby. Neil Gaiman on the meaning of fairy tales. *The Telegraph*, 20 nov. 2014. Disponível em: <https://www.telegraph.co.uk/culture/books/11243761/Neil-Gaiman-Disneys-Sleeping-Beauty.html>. Acesso em: 26 dez. 2022.

WORLD Health Organization. Maternal Mortality, Fact sheet 348, 2014.

YALE University. *Hist 251: Early Modern England: politics, religion, and society under the Tudors and Stuarts*. Disponível em: <http://oyc.yale.edu/history/hist-251/lecture-14#transcript>. Acesso em: 5 dez. 2022.

YALOM, Marilyn. *The History of the Wife*. Nova York: HarperCollins Publisher, 2001.

ZIPES, Jack. *The Irresistible Fairy Tale*: The Cultural and Social History of a Genre. Princeton: Princeton University Press, 2012. pp. 5, 9, 10, 12, 27.

_____ . *Fairy Tales and the Art of Subversion*. Nova York: Routledge, 2012. pp. 31, 60, 80, 83, 152, 203.

_____ . *Happily Ever After:* Fairytales, Children and the Culture Industry. Nova York: Routledge, 1997. pp. 33, 37.

_____ . *Why Fairy Tales Stick*: The Evolution and Relevance of a Genre. Nova York: Routledge, 2006.

Este livro foi impresso pela Cruzado, em 2023,
para a HarperCollins Brasil. O papel do miolo é pólen
natural 80g/m², e o da capa é cartão 250g/m².